エールリッヒ

法社會學の基礎理論

第一分冊

川島武宜譯

〔法社會學叢書〕

—改譯—

有斐閣

つつしんで　本書を

戦場にたおれた旧友諸君　に

ささげる

訂正版はしがき

本書成立当初の事情のためかなり広い範囲にわたつて誤訳・不適訳が見受けられるので、重版に際し全頁にわたり新たに組み直すことにした。御教示を賜つた方々にあつくお礼を申し上げる。

一九五四年十月

川島武宜

はしがき

本書は Eugen Ehrlich, Grundlegung der Soziologie des Rechts, 1913, 409 S. のほん訳である。戦争中から、私はこの本をテキストとして、東大法学部の特別研究生・助手・学生の諸君とともに演習をやつてきた。戦局の進展にともなつて多くの学生を演習のメンバーから戦線へおくりだし、演習も人少くなつて心さびしさをおぼえたが、ともかく全学徒の勤労動員の時までつづけた。戦がすんで多くの復員学生をむかえ、ふたたびこの演習をひらくことができるようになつたことは、私にとつては大きな喜びであつたが、同時に、いまだにあい見ることのできない幾人かの学生があることは、この上ない悲しみである。これらの学生のことを思うと、私は胸がいたくなる。このほん訳は、われわれ演習のメンバーのふかい喜びと悲しみのうちから生れでたのである。

演習は、各人がそれぞれ一定の部分を担当し、それを勉強してきて報告し、それを中心に討論する、という方法をとつた。このほん訳はその担当者の研究報告の副産物であつて、この第一分冊に収められた部分の担当者はつぎのとおりである。

第一章　加藤一郎、矢沢惇

第二章　石川吉右衛門、加藤一郎
第三章　潮見俊隆
第四章　潮見俊隆
第五章　加藤一郎、石川吉右衛門

このほん訳の訳者として便宜上私の名が表示されているが、それは右の演習の代表者という意味であつて、本書は実質的には演習参加者全員の研究の産物、特に各部分の担当者の努力の産物である。訳文にも担当者の個性が表われている。或は、も少し訳文の内容や調子を修正し統一すべきであつたかと思われるが、なるべく訳者の個性を尊重する意味でそのままにしておいた。しかし、学術用語の使い方だけは厳格に統一したつもりである。原書が比較的にむずかしいということや、出版技術上の考慮から、ほん訳を四つの分冊にして出版することにした。この第一分冊の原稿は終戦の翌年に完成したが、公刊不能となつたまま今日に至つた。講和となつて今これを公刊し得ることはわれわれにとつて尽きぬ喜びである。いつごろに全部が完成するか、今のところ約束はできないが、第二分冊の原稿も八分どおり完成しており、遠からず公刊できる見込みである。戦中戦後のめぐまれない生活条件において全メンバーが一生けんめいに研究に努力したことを附言することができるのは、私のもつとも喜びとするところである。われわれは、この余りにも有名なしかし難解な古典的名著のほん訳によつて日本の法学界に何らかの貢献をなし得るであろうことを信じ、その完成のために努力をつづけたと考えている。

ほん訳および訳註には、誤りや不適当の箇所も少くないことと思う。読者のお教えをうけることができるならば幸である。ほん訳および訳註にあたつては、研究室の先輩同僚の方々のお教えをいただいたことが少くない。一々名前を列挙しないが、ここにあつくお礼を申上げるしだいである。

なお特筆しておきたいのは、本書のほん訳にあたつて度々お教えを賜つた原田慶吉教授は不幸にして故人となられ、もはや本書の出版の喜びを分つていただけないことである。謹んで本訳書を原田教授の御靈前にささげたい。

一九五二年七月四日

川島武宜

凡　例

一　ほん訳について

（1）ほん訳はできるだけ原文に忠実であることを心がけた。しかし、訳文の都合上やむをえないときには長い文章を二つに分けて訳したり、一字一字の意味を少しはなれて意訳したところもある。原文に忠実であろうとしたために、日本語として読みにくいところができたかも知れないが、ドイツ語と日本語との構造のちがいや日本語が学術語として厳密な表現に熟していないことのために、ある程度までやむをえないことであつた。

（2）原文では各頁の上の欄外に小さい見出しがついているが、本書ではそれを八ポイントのゴチック体で本文の頭に組みこんだ。各章の分量が大きいので、読む上に便利だと思つたからである。もつとも中には訳者が読者の便のために特別に補つて入れたものも、わずかであるが含まれている。

（3）原文中とくに英語・フランス語・ラテン語などが用いられている場合にはその訳とともに原語をも掲げた。しかし、日本語に訳してもそれだけでは意味がわからないようなものは、原語だけをそのままだして、別に訳語をつけた。

（4）原文でイタリックになつている部分および gesperrt になつている部分は、訳文においては傍点をつけた。

(5) ドイツ語でも、特別な言葉、とくに特殊な学術上の術語には、その初出の場合だけに、原語をあわせ掲げた。

(6) 固有名詞の読み方は、なるべくその名詞の本来属する国語の読み方によることとした。なお固有名詞には原則としてその初出の場合に原語を附した。

(7) 原文の註は、*印を附して、そのパラグラフの終りにだした。

(8) 訳者が原文の意味を補うためにつけ加えた訳文は、〔 〕の括弧の中に入れた。これに対して( )の括弧は原文にあるものである。

(9) 日本語で表わしにくい文章のかかり具合を表わすために適宜に・を用いた。これも日本語の現状ではやむをえない方法であつた。

(10) ほん訳に際しては、Walter L. More による英訳 (Fundamental Principles of the Sociology of Law, Harvard University Press, 1936) を参照した。この訳は、難解な原文の意味を正確に理解した上で、これを分りやすい英語で表現したもので、ただのほん訳ではない。十分な語学力とともに高い水準の学問的能力の上に立つた力作であり、私たちも教えられるところが多かつた。なお、この英訳書には、三六頁にわたる Roscoe Pound の解説がついており、エールリッヒを理解するための重要な文献であることを、附言しておく。

二 訳註について

(1) 本書の中には、比較法的および法史学的な叙述がきわめて多い。これについてエールリッヒは註を全くつけていないので、理解しにくいことが少くない。そこで、われわれは、主として法律学をまなぶ学生を標準として、本書の理解に必要な限度で訳註をつけることにし、巻末にこれをまとめて掲げた。なおその場合に、ゾーム「フランク法とローマ法」（久保正幡・世良晃志郎訳）の巻末の訳註にあつた言葉をしばしばそのまま借用させていただいた。

（2）各分冊の目次には、索引の便利のために、訳文中にゴチで組みこんだ小見出を、内容目次として掲げることにした。英訳本のやり方にならつたものである。

三　全体の体裁について

（1）原書は全部で一冊のものであるが、訳書はほん訳および出版の都合上四分冊に分けることにした。

（2）エールリッヒおよびこの著書に関する総括的な解説は、全部のほん訳が完了したのちに執筆する予定である。なおエールリッヒについては、エールリッヒ「権利能力論」（川島武宜・三藤正訳）および同書巻末に掲げた文献を参照せられたい。

（3）第四分冊の終りには、右の総括的な解説のほかに、全体を通じる事項索引・人名索引・訳註の索引をつける予定である。

友情と尊敬をもつて

ポール・フレデリックジラール　に

ささげる

〔ポール・フレデリック・ジラール Paul Frédéric Girard (1852―1926) はフランスのローマ法学者であつて、その著 "Manuel élémentaire de droit romain" 1895, 8me éd. (1929)はフランスにおけるローマ法の最良の概説書として有名である。エールリッヒも、もともとローマ法学者であつてローマ法を深く研究しており、しかも本書の序がジラールのいるパリで書かれていることをみると、エールリッヒとジラールとの間には深い交渉があつたのではないかと考えられるが、訳者には不詳である。〕

―訳　者―

原著者序

書物というものは、一つの文句でその書物の内容を総括することができるようでなければならない、とよく言われている。本書についてこのような試みをしようとすれば、それはおよそつぎのようになるであろう。すなわち、法の発展の重心は、いつでもそうであるように、今日においてもまた、立法や法律や判決ではなくて、社会それ自体の中に存する、ということである。おそらく、この文句の中に、およそ法社会学を基礎づけることの意味が含まれているであろう。

一九一二年クリスマスの日、パリにて

著　者

目次

第一分冊目次

一　実用的法概念

科学の発達

医者がその将来の職業のために大学で養成される場合に、各種の病気の診断的症候（徴候）とそれに対して知られている薬剤とを暗記しなければならない、という方法が主として行われていた時代があつたが、それは実際我々を去ることあまり遠いことではない。〔だが〕かかる時代はすぎ去つた。現代の医者は、研究の領域として人間の病体をえらんだ自然科学者である。そして、これと同様に、機械技師も、百年そこそこ前には、機械を作るこつを親方から教えてもらつた機械作りと、まだほとんどことなるものではなかつた。このことも今日では全く変つてしまつている。今日の機械技師は、自分の使用すべき材料の性質と・種々の外部的作用のもとにおけるその材料の状態の合法則性と・を研究する物理学者である。医者と技師は、自分の職業に必要な熟練をもはや純手工業的に学ぶのではなくて、とくにその熟練の科学的基礎を学ぶのである。同様な発展は、無数の他の領域においても、すでに古くなしとげられている。

これに反して、法律学 Jurisprudenz においては、実用的な法律学たる実用法学 praktische Rechtslehre からの法の科学 Rechtswissenschaft の分離が、ようやく今日において、しかも、それにたずさわっている者がさしあたりまだ知らないうちに、進行しつつある有様である。しかし、実用的目的ではなくて純粋の認識に仕えようとし・言葉ではなくて事実を取り扱う・ところの法に関する独立の科学は、この分離とともに創設される。それゆえに、自然科学の領域においてはすでに古くからはじまつている変化が、「首都のすたれた流行が相変らず新しいものとして行われている遠くはなれた田舎町にも比すべき」・科学中のもつともおくれた科学、とかつてアントン・メンガー(一) Anton Menger の呼んだところの法律学の中にも、入りこんでくる。この結果はやはりここでも実を結ばないではいないであろう。新しい法の科学は、単に法および法制度の本質にたいする・従来知られなかつた非常に多くの洞察をあたえてくれるだけにとどまらず、疑いもなくそれは実用に役だつ成果にも欠けることがないであろう。

法史学の科学的特徴

法律家にとつて、たとえば一般国家学や法史学のごとく・この変動をすでに完了した法律学の領域を考察するほど、参考になることはほとんどない。いま法史学をかるく一目みることを許していただこう。法は歴史的つながりの中で解釈すべきものだ、という思想は、すでにローマ人にも知られなかつたわけではなく、実際、ガイウス(二) Gaius にもディゲスタ(三) Digesta の断片にも、歴史的な説明がいくらでもあるのである。註釈学派(四)や後期註釈学派(五)でさえも法史学的な解釈を書き加えるという方法を用いたのであり、そしてその上に、十六・七・八世紀の偉大なフランス人たちや上品なオランダ人たち(六)にいたつては、まさに歴史学的かつ文献学的な法学者であるといつてよいであろう。これと同様に、ドイツの公法学者たち(七)はすでに十七世紀に歴史的研究をしていた。おなじことが、イギリス人についても、フォーテスキュー(八) Fortescue 以後には充分にあてはまる。ブラックストン(九) Blackstone は、現行法では不可解にもおもわれる事柄を歴史的に説明する技術にかけては、この上もない名人である。しかし、従来はやはりただ現行法をよりよく理解するためにのみ行われてきた法史学を、独立の一科学とし一家のあるじとしたのは、歴史法学派がはじめてである。近代の法史学者にとつては自分の研究の成果が実用になるかどうかはどちらでもよく、その成果は彼にとつては手段ではなくてそれ自体が目的なのである。しかも、法史学は、もはや実用法学に仕えないようになつてからは、かえつてそれに無限の奉仕をしたのである。今日の実用法学は、その含んでいる科学的成果のうちでもつともよいものを、法史学による収穫に負つている。しかし、法の科学に対する法史学の意義は、それが歴史であるということよりも、それが純粋な科学であり、今日存在するほとんど唯一の法に関する科学である、ということに基いている。そして、法史学は、国民経済学や国民経済政策に対して、いかに尽きざる刺戟と教訓の泉となつたことであろう！　このことは、それが始めのかぎられた目標と方法とを守つていたとしたら、考えられないであろう。

人間の思考は必然的に目的の観念によつて支配されるのであり、目的の観念は、思考に方向をあたえ、素材の選択を定め、方法を決定する。これらすべての点において、法律家の思考もまた、いかなる実用的な目的を法律家が追究するか、によつて左右される。

純実用的な知識は必然的に欠陥がある

鉄筋建築の技術にたずさわる者が鉄のことを考える場合には、化学上の元素ではなく、製鉄所から建物用に引渡をうける取引財を考えるであろう。彼は鉄筋建築において問題となる・鉄の特質についてのみ関心をもつであろうし、そして、その特質を研究しようとするならば、その場合には彼は鉄筋建築業者の仕事場にふさわしいとおもわれる方法を用いるであろう。彼は科学的研究方法を発達させることにはすこしも気を配らないであろう。けだし、科学的成果は鉄筋建築においてはすこしも重要ではないし、科学的厳密さは実用的な目的にとつてよけいであるばかりでなく、あまりに高価であり、手間がかかり、むつかしいことであるからである。鉄筋建築の技師は、自分のもつともよくできることをすればよいのであり、他人がそれ以上にできることはその人にまかせておけばよいのである。これらすべてのことは、本来はたしかに不利なことではない。〔だが〕鉄筋建築の技師は、必然的にこのように視野をかぎられているために、科学にとつてばかりでなく鉄筋建築の技術にとつても重要な多くのことを、かならず見のがしてしまう。しかし、科学者やその他の鉄使用法についての専門家が鉄筋建築に役だつことを何か発見すると、彼はいうまでもなくただちにそれに手をのばすであろう。彼が自分のせまい領域でわずかな手段をもつてりつぱな仕事をしたならば、それは実用的価値ばかりでなく科学的価値をももつことが多い。古くから実務家の観察は科学をまかなつてきた。現代の・科学としての植物学の大部分は、〔今日も〕なお、薬屋のための古い本草学から由来しているのである。

しかし、かりに、鉄筋建築の技術が提供したもののほかに鉄に関する科学がなく、薬屋のための本草学のほかに植物学がないとすれば、事態はいかにことなつたものとなつていたであろうか。研究のみならず実用的な仕事も、このような一面性のもとでは、おそろしく難儀したことであろう。薬屋のための本草学にかわつて現われた薬物原料学と薬物学のほかに、植物の性質は、農学や林学や園芸学やその他の多くのものによつてもまた研究されている。しかし、科学としての植物学は全く独立にこれを研究している。もちろん、それが研究したことはここにあげた実用的科学のすべてにもまた役にたつのであるけれども、他方それと同様に、これらすべての領域における実務家の仕事の成果は、科学としての植物学の研究者に豊富な刺戟をあたえるのである。

法に関する実用的な知識の欠陥

法律学の不幸は、それが現在ほとんどもつぱら実用法学であるのにもかかわらず、同時に相変らず法に関する唯一の学問であることである。けだし、このことは、それが法および法的関係について教えるものが、その方向・対象および方法において実用法学以上にいでないことを、意味するからである。それは実際、ちょうど、鉱物学と化学が、鉄筋建築の技術のために研究された以上のことを鉄についても語ることができず、植物学が、薬物原料学と薬物学に記されている以上のことを植物についてのべることができない、というのと同様である。法律学のこの状態はたしかに歎かわしいきわみであり、ことに今日の法律学は、ただ法律家の実際的活動の全領域をとりあげることからさえ、はるかに遠いのである。本来をいえば、法律家的職業と同じ数だけの実用法学があるべきである。ローマ人は、法律家について、法律問題への回答 respondere と証書の作成 cavere と訴訟行為 agere とを・すなわち現代の言葉に訳せば裁判官と証書作成者と弁護士とのそれぞれの活動を・区別しており、そして、少くとも共和政の時代には、研究・著作および教育がこの三部門のそれぞれに対して行われたようである。(一〇) イギリスでは法律学は裁判官むきであるとともに弁護士むきである。そのほかに証書の作成 conveyancing が、高度に発達した法律学の特殊部分として存在する。(一一) しかしながら、裁判官・証書作成者および弁護士が法律家的職業活動の代表者のすべてであるというわけでは決してない。法律家はまた、国家行政とならんで、私的な事務処理のうちに、すなわち農業・商工業のうちに、ゆたかな活動範囲をもつている。さらに立法・政治・新聞雑誌界への関与もある。

現代の大陸の法律学は、ローマやイギリスの法律学に比して、いちじるしく貧弱である。それはローマ法の継受以来ほとんどもっぱら大学にそのよりどころをみいだした。(一二)そして、その大学たるや、大部分は国家によつて建設・維持され、かの博学な・官職としての裁判官が生じたのちには、未来の裁判官をその職業むきに養成する任務を、国家から委託されていたものなのである。もしかりに法の教育が私立学校によつて行われていたとすれば、たしかに、裁判官むきの学校とならんで弁護士および公証人むきの学校もあつたであろうし、そして、それに応じて種々の法律学が発展していたことであろう。しかし、実際に生じたものは、裁判官はいかにしてその職務を遂行すべきかということとの実用的な手引であるといえば、その全内容をかなり残りなくいいつくすことができるような・法律学であつた。徐々にそしてためらいながら、外交と行政の職務むきの養成がその仲間いりをした。それにしたがつて、実用法学や学問は、国際法と公法をもその対象にとりいれるにいたつた。したがつて、パウルゼン(一三) Paulsen が今日の〔大学の〕法学部について、それが裁判官と官吏の養成所であるといつたのは、至当である。しかし、学生の大多数は裁判官の職業にむかおうとしていたために、裁判官が必要とする法がやはり中心をしめていた。おそらくまさにこのゆえに、公法と国際法は、私法・刑法および訴訟法よりもはるか以前に、科学的方向をとつたのである。のちに一般国法学となつた一般国家学において、成果の実用性を度外視し・科学的目標のみを追究する・法律学の最初の部門が発生した。しかし、大学の法学部は、官吏養成所以外のものになろうともせず、また、なることもできなかつた。そして、このことは教育ばかりでなく研究と著作をも規定していた。したがつて、まず第一に、法律的証書作成者と弁護士は、その職業の・責任のある・困難な・そして重要な・任務を学びうるような材料を、ほとんど何もみいださない。彼は、自分の必要とするものの大部分を、実務の中で純粋に手工業的に学ばなければならないのであり、そして、きわめて価値の多い・職業上の経験は、たいていその担い手とともに死んでしまう。しかし、法的生活をかるく一眼みただけで、司法と・法の発展と・の大部分が弁護士と公証人の事務室で行われるということ、そして、法律学がこのことからどれだけ豊富な・価値のある素材をくみとることができるかということがわかるにもかかわらず、これらの経験は、——そしてこのことがまさに決定的なことなのであるが、——裁判官の法以外の法があることを知らないところの法律学によつてもまた、かえりみられることがない。そして、法の発展の促進力としての証書の意義は、現代の法律家が法史学の全書から学ぼうとすれば学びえたはずである。実用法学もまたこれと同一の見地から自己自身の素材の領域に自己を限定しているのであるが、このことは右にのべた法律学の場合と完全に歩調が合つているのである。裁判官が職業上一般に関係しないような場合には、重要な対象でも論じられることがない。労働契約の法は、法律家にとつてはロトマル Lotmar によりほぼ十年前(一四)にはじめて発見されたのであつて、それは、ドイツにおける工業の大なる興隆の結果、労働契約の法が司法をますますわずらわしはじめてからのことであつた。我々の時代のもつとも重要な法律学上の問題である労働組合・トラスト・カルテルの問題は、実用法学からみればほとんど存在していないのであるが、それは、たしかに、ただ、それらが法的生活においてはなるほど大きな役割を演じてはいるが司法においてはそうではない、ということのためにすぎないのである。

今日の法律学の欠陥

かかる状態は〈法律学の〉方法にたいしてもつとも有害な影響を及ぼした。いかなる研究でもその第一の課題は、その対象にふさわしい研究方法をみいだすことである。方法についての仕事には非常に多くの偉大な学者の生活が費された。方法がひとたびみいだされたならば、全く能力の低い人たちでも仕事を続けてゆくことができた。スペクトル分析でさえ根本においては一つの方法にほかならない。法律学は、今日すでに科学的精神によつて担われている一般国家学を除けば、実用法学が裁判官の行う法の適用のために作りあげた方法以外に、方法というものを知つていない。十六世紀にヨーロッパ大陸で発生した・官職としての裁判官に関する・支配的な見解によれば、裁判官は、あたえられた一般的な条文から、個々の訴訟事件をいかに裁判すべきかについての答を、引きだしてこなければならないのである。裁判官の使用に供される実用法学は、この場合に、一層多くの判決をそれから演繹することができるようにするために・できるだけ一般的な内容をもたせられた法規を、裁判官の手にあたえてやるべきものであり、一般的な法規を具体的な場合にいかに適用するかを裁判官に示してやるべきものであつた。したがつて、実用法学は抽象化的かつ演繹的でなければならなかつた。しかし、抽象化的かつ演繹的なのは、一般国家学を除いた法律学全部であつて、それは、あたかも、抽象的であればあるほど現実とのいかなる接触をもそれだけ失つてゆくような・血の気のないものを作る、ということよりも高尚な業績が、人間精神にとつて存在しないかのごとき有様である。法律学は、事実の考察・経験の集積によつて事物の本質に対する我々の洞察を深めようとする帰納的方法の支配する・すべての真の科学と、この点において鋭く対立している。

実用的法概念

かくて、もともと法律学は科学的な法概念をもまた知つていないのである。鉄筋建築の技師が鉄について語るときに、鉄という言葉で、化学者や鉱物学者が示すような化学的に純粋な物質を考えているのではなくて、鉄筋建築に使用される往々にして不純な鉄を考えているのであるのと同様に、法律家もまた、人間社会に法として生きて働いているものを法と考えないで、公法の二・三の領域を除けば、裁判官的司法にとつて法として考察の対象となるものだけをもつぱら法と考えているのである。これより深い洞察のひらめきが時折現われはするけれども、誰もそれに迷つてはならないものとされていた。鉄筋建築の技術者が科学的になろうとする場合に、鉄筋建築において鉄として使用されている混合物に対して、なるほどときとしては化学的公式をのべることもあるであろうが、しかし、実際の仕事をしている間は、科学的な意味での鉄は彼にとつては興味がないのであるから、彼はやはりこの混合物だけを相手にすることであろう。重要なものは、およそ全書のはじめの章や単行論文に盛られている概念規定ではなくて、法律家が実際に研究の対象とする法概念である。けだし、概念は、外面的な飾りものではなくて、科学的な思想を構成するための道具たるべきものであるからである。

行為の規則としての法

裁判官の立場からすれば、法は、裁判官が自分の前にもつてこられた法的争訟を裁判する際に基準とする規則である。〔ところがまた、〕ドイツの学問にとくに支配的な概念規定によれば、法は人間行為の規則ということになるであろう。人間行為の規則と、裁判官が法的争訟を裁判する際に基準とする規則とは、二つの非常にことなつたものでありうる。けだし、人間は、たしかに、争訟の裁判の際に適用される規則にしたがつてつねに行動するとはかぎらないからである。法史学者は、疑いもなく、人間行為の規則として法を理解している。彼は、古代や中世において婚姻を結ぶ際や夫婦・親子が家庭で生活する際に基準とされた規則を叙述し、個人財産があつたかそれとも共同財産があつたか、土地を耕作したのは所有者・賃借小作人・賦役隷農のいずれかであつたか、契約はいかにして締結され財産はいかにして相続されたか、を叙述する。他国からやつてきた旅行者にたのんで、彼が知るようになつた諸国民の・法を記述してもらう場合に、おそらく同じことが経験される。その場合に、彼は、そこで人がいかにして結婚し・家庭で生活し・契約を締結するかということは物語るであろうが、法的争訟を裁判する際に基準とされる規則がどういう内容をもつているかということにはほとんど言及することがないであろう。

法律家は、他の民族の法や遠くはなれた時代の法を純粋に科学的な興味で研究する場合に、全く知らず知らずのうちにこの法概念を受け入れているのであるが、しかし彼は、自国のその時代の現行法にむかうや否やただちにこの法概念を放棄する。全く気づかないでいるうちに、いわば秘密のうちに、人間行為の基準となる規則から、人間の諸行為に対して裁判所その他の官庁が判断を下す際に基準とすべき規則が生じてくる。もちろん、これもまた行為の規則ではあるけれども、しかしこれはわずかに国民の一小部分にとつて、つまり法の適用を職務とする官庁にとつてのみそうなのであつて、前者のごとく広く一般人にとつてそうなのではない。科学的考察のかわりに、裁判所の官吏むきに作られた実用的考察がまさしく現われたのであり、しかも官吏は自分のふみ行うべき規則をまず第一に学ぼうとするのである。いうまでもなく、法律家たちもまたこの規則を行為の規則だと考えるのであるが、その背後には思想の飛躍がひそんでいる。彼らはかくして裁判所の裁判の基準となる規則が、人間のよつて行動す*べき*規則である、と考える。そして、人間はそれでも時とともに裁判所の基準となる規則を見習うだろう、というはつきりしない観念がこれに加わつてくる。

ところで、行為の規則が、一般に行為の基準となる規則であるのみならず、行為の基準とされるべき規則でもあることは、おのずから明らかなことである。しかし、この「べきだ」ということをきめるのは、もっぱら――あるいは単に主としてであっても――裁判所なのだ、という考えは、とうてい受けいれがたい仮説である。現に日々の経験が反対のことを教えているではないか。裁判所の裁判が人の実際の行為に影響を及ぼすことはたしかに争えないが、しかしこのことがどれだけの範囲で妥当するか、またこのことがいかなる事情によつて左右されるかが、まず研究されなければならないであろう。

法の錯誤に関する理論

法律家の著作のどの頁も、法律家のどの講義も、ことごとく今のべたことを裏書する。ほとんどその一語一語からわかることは、法的関係を論ずる法律家の眼前にあるものは、つねにこの法的関係から生じた法的争訟をいかに裁判すべきかという問題だけであつて、人がこの法的関係の中でいかに処しているか・そしてまたいかに処すべきであるか・という、それとは全く別の問題なのではない、ということである。メイトランド[一五] Maitland のような偉大な人でさえ、英国の訴権の歴史を書くことは英国法の歴史を書くことである、などということができた。法律家的な考えかたは、法の錯誤に関する理論[一六]の中に全く素朴な表現をみいだした。法を行為の規則と解する法律学は、法の不知は法の適用を妨げず、という原則をのべることは不可能であろう。なぜならば、不知の規則にしたがつて行為することはできないからである。法律学は、むしろ、法の素材の中で何が行為の規則として知られかつ遵守されているか、そしてさらに進めば、そうなるようにするにはどのような配慮をしなければならないか、というところまでを、問題としなければならないであろう。実際にビンディング(一七) Binding は、すでに数年前に問題全体をこのようにとらえ、刑法の条文ではなく刑法の〈実質的内容たる〉規範のみが一般に知られていて、それが実際に人間の諸行為を指導するのだ、という命題をたてた。マックス・エルンスト・マイヤー(一八) Max Ernst Mayer だけが彼にしたがつたのであるが、必要な経験材料を豊富にすることはしなかつた。しかし、通常行われているように、法はそれを知らない者にも適用されるのだと教えるとするならば、それは明らかに人間行為の規則としての法の概念を全く放棄することになる。それは、ただ、官庁は法を当事者が知つているか否かを顧慮しないで法を適用しなければならないという・官庁の規則をあげているにすぎないのである。法を知る義務を各人に課したり、あるいは、正当に公布された法は各人が知つているのだという擬制をしたりすることによつては、事態が好転しないことは、いうまでもない。

今日の法律学における非国家法

法の起源に関する支配的な見解もまた、全く、同じ思想のとりこになつてしまつている。法的規則はどこから由来し、誰がそれに生命と働く力とをふきこんだのであるか。この問に対してあたえられるさまざまの答を考察することははなはだ興味深い。というのは、実用的な要求に仕えるという必要が人間精神に別の道を指し示している場合には、全く正しい科学的な認識でさえも人間精神を導くことができない、という事実が、その中に明らかに・かつ・まがうかたなく映しだされているからである。科学的な教育を受けた法律家は誰でも、サヴィニー Savigny[一九] およびプフタ Puchta[二〇] 以後百年を経た現在では、過去における法の大部分が国家によつて作られたのではないこと、そして、今日でもなおその大部分が他の源から流れでているのであること、を疑つていない。なるほど理論上はそうである。そこでつぎの疑問が起る。この非国家法はどこに探し求めたらよいのか。どこに書いてあるのか。どこで教えられているのか。ヨーロッパ大陸における研究・文献および教育は今日制定法以外の法を知らないのだ、とここで主張するとしても、それはたしかにそれほどいいすぎではない。

なるほど、人々は、慣習法——すでに数世紀以来、本質と起源の著しくことなつた非国家法がひとまとめにこの標題で呼ばれている——はたしかに今日「とるに足りない」ということで、みずからの良心を慰めている。この言辞はサヴィニーとプフタにすでにみいだされ、それ以来さまざまの形で数かぎりなくくり返されたのであり、そして、これをはつきりいわないものでも、これを固持しているのである。このように考える者は、すでにそのことによつて、法を一般的な人間行為の規則と解することを断念したことになるのであり、法が彼にとつて少くとも全く圧倒的に裁判所その他の官庁の行為のための規則であることをすでに明らかに証明したことになるのである。けだし、たしかに国家万能論の信奉者でさえ、国家が人間行為全体に対して規則を定立することができる、という思想にまじめに考え及んだことは、それほど数多くはなかつたからである。ヨーロッパ文明の中で唯一の例外はおそらくヨーゼフ二世(二二) Josef II であつたが、彼もまたそれをやろうとして失敗した。したがつて、非国家法と法律学との関係は、学問上の確信とは全く無関係に、裁判所に対する国家の立場とともに変遷した。そして、法律学が今日もつぱら国家法に専念しているとすれば、その理由はまさに、歴史の歩みの間に、国家が、すでに以前に手に入れることのできた司法の独占に加えて、法の創造の独占をもわがものとすることができる、と信ずるに至つたことにあるのである。かくて私は、近代の自由法運動は、ただに科学的認識における進歩を意味するだけでなく、他の領域ではすでに以前に行われたところの・国家と社会との関係における・事実上の推移をも意味するのだ、ということを疑わない。

非常にのちの発展段階にいたるまでほとんど至るところでそうであつたように、たとえば共和政のローマやドイツ中世においてそうであつたように、裁判官が主として慣習にしたがつて裁判するところでは、誰も法そのものの源を国家に帰せしめようなどということに考え及ばないのは、自明のことである。共和制末期のローマ人においてもなお、ローマの国民的慣習法たる市民法（二二）ius civileは法律（二三）leges と少くとも同価値の法源であり、また、中世ドイツの法書（二四）が制定法や条例の規定（二五）に言及しているのは全く例外にすぎない。ローマ法大全（二六）corpus iuris civilis あるいは教会法大全（二七）corpus iuris canonici、否そればかりでなく黄金文書（二八）Goldene Bulle までが、中世においては、困難かつ重要な問題のあるときに求められる非常に高い権威であるにすぎないのであり、それは、聖書や古代の著述家のごとき他の権威がやはりそのようなときに求められるのと、同様なのである。けだし、中世においては、すべての領域において、すなわち法においても神学・哲学・医学におけると同様に、主として権威に基いて仕事が行われるからである。国家が非常に強化され絶対主義的な統治形態に向つて進んだところにおいてはじめて、国家を、権威ある法の源に・さらにのちになつてはまた唯一の法の源に・しようとする思想がきざしはじめ、その衝動がめざめてくる。ローマでは帝政時代、西ヨーロッパでは十六世紀がそれである。非国家的な法の創造は国家の授権にむすびつけようとされるのであり、それは、ローマにおいては、皇帝の命によつて・法の創造を職務としていた法律家にあたえられていたところの回答権（二九）ius respondendi によつて、すでに帝政の初期に行われた。非国家的な法の創造は制定法によつてまだ規制されていない問題にかぎられ、制定法の中には慣習法の効力に対する非常に厳重な規定がとり入れられ、法全般を包括する法典編集によつて、慣習法を無用とし・そればかりでなく往々明らかにそれを排除しようとする努力がなされる。法律家による法の科学的な取扱すら横目でみられ、そこから非国家法である法律家法が生ずるという・まさにもつともな感情から、それはあちらこちらで禁止される。この思潮の最後の言葉は多分ユスティニアーヌス Justinianus（三〇）の発したものであつたろう。すなわち、「皇帝のみがまさに諸法の編集者かつ註釈者として考えられるであろうというこの規定は、古法の編集者たちに対してなにものも廃止するものではない。なぜならば皇帝の尊厳が彼らにそのことを許したのであるから」（三一）と。

今日の法律学は国家法しか知らない

法律学は、あくまでもこの国家法の発展に追随した。その途中で、科学的認識の進歩が法律学をまごつかせたことは、極めて僅かにすぎない。法律学は科学の教えに少しの間敬意を払つたかとおもうと、すぐまた、司法にその欲するものを提供するという・その本来の任務と考えている事柄にたちもどつてくる。決定的な一歩は、非国家法を国家法と同様に知ることがもはや裁判官に要求されず、裁判官に対しては国家法の知識のみが予定され、他方において、個々の場合にはじめて非国家法が当事者により裁判官に対して証明されなければならない、というようになつた瞬間において、すでになしとげられた。このときから、国家法のみが完全な価値のある法となり、他はすべて単に「事実」にすぎなくなる。法律学がこのようになつたのは、学識のある・官職としての裁判官の発生とともにであり、したがつて、ドイツではすでに十六世紀のことである。ますます確固たる地盤を得ていつた理論によると、今日では学説法以外の非国家法全体を意味するものとなつているところの慣習法は、下位の性質の法であり、慣習法は、その発生と効力において立法者の授権か・承認か・是認かに基いているのであり、立法者がしようとおもえばそれを完全に禁止することもできるというのであつた。慣習法は、軽視され、のみならず往々にしてばかにされ、証明は困難にされ、その承認の条件はますます厳格に取り扱われる。非国家法の研究または叙述にささげられる労作はますます数少くなり、ついに十八世紀にいたつてほとんど完全にとだえてしまう。教育は「慣習法」をほとんどわずかになおその名称によつて知つているにすぎない。これが十九世紀初頭の状態である。法律学が自分の仕事とおもつているのは、何が法であるかを確定することでは全くなく、国家から任命され・委任された裁判官に対して、彼が委任者〈国家〉の意思にしたがつて法として適用すべきものを、法として示してやることだけなのである。

自然法は非国家法

国家によつて法規として制定された法が唯一の法であつた、という時代は、裁判所およびその他の官庁にとつても、いまだかつてなかつたのであり、したがつて非国家法にそれにふさわしい位置をあたえようとする底流がつねに存在していた。大陸の法学においてはこの底流は二度力強く地表に噴出した。すなわち、十七・八世紀の自然法学者、および、歴史法学派の創始者たるサヴィニーならびにプフタにおいて、それがあらわれたのである。いかに自然法学者が法の歴史的理解の先駆者であつたか、いかに歴史的な法の理解の開拓者が自然法運動の完成者であつたか、については、残念ながら稀にしか注目されず、これを正当に観察した者はほとんどいなかつた。両者の共通とするところは、国家が法なりと宣言したものを盲目的に受け取らなかつた点、および法の本質を科学的に探究しようとした点に存する。両者は、法の淵源を国家の外におくことに成功した。すなわち、自然法学者は人間の本性の中に、歴史法学者は民族の法意識の中に、これをおいたのである。

しかし両者はこの思想を徹底せしめなかつた。両者はなんといつても、裁判官が判決において法として適用するもののみが法であるという・今日まですべての実用法学を支配している観念に妨げられた。若干事情をことにするフランスの場合を除いては、自然法学者は、その急進主義にもかかわらず、裁判官は国家によつてすくなくとも黙示的に容認された法規則以外の法規則を適用する義務を負うことがある、とはあえて主張せず、すくなくとも決然とそう主張しはしなかつた。そこで、自然法は文字どおり空中楼閣となつた。裁判官にとつて効力を有するもののみが法であるのに、自然法は裁判官に対して効力を有しないのである。この点において自然法学説は完全にくつがえつてしまう。人間の本性に根拠を有する非国家法としての自然法のための闘士は、最後に、自然法を実現するような国家的立法をするようにと叫び出すのである。

サヴィニーとプフタはすでに法の科学に向つて努力した

サヴィニーとプフタは、おそらく純粋に認識に奉仕する法学の思想をすくなくとも予感的にいだいた最初の人たちであろう。彼らの全生涯の著作は、実用的な目的にむけられたあらゆる法学説を彼らが軽視したことを示している。その軽視は、多分無意識的なもので、決してそうだと表明されたわけではないが、しかしはつきりとそのしるしをのこしている。彼らは、当時の現行法たる普通法を研究した労作の中においてさえ、あらゆる法の本質をなすものをとくに普通法の中から科学的に把握し、普通法の中に一つの法 ein Recht でなく、法一般 das Recht を探究しようと試みた。彼らは、その時代にはるかに先んじて、重要性に乏しい個人的な立法者の姿から眼を転じて、法形成に際して作用する大きな基本的諸力に眼をむけたのである。彼らの学説の根柢をなす思想によれば、これらの自然諸力は慣習法の中に躍動しているのであるが、この慣習法が、彼らにとつて、はつきりと識別しうる観念であるよりは、むしろはるかにより多く、法における超人間的なものすべての象徴であつたことはいうまでもない。しかも、彼らにとつてすら、法の科学を創造する任務は大きすぎた。彼らはそれを始めただけで、それを成就することができなかつた。

非国家法は現在そもそも研究されているか

歴史法学派の創始者たちは、みずから教えた方法論的諸原則をその解釈学上の労作にも適用しようとしたことは、かつてなかつた。非国家法に対するその関心は、なるほど、彼らを駆つて慣習法の概念を明らかにする努力を生ぜしめたが、ドイツの慣習法を研究する努力を生ぜしめることはなかつた。また彼らは、今日と同様当時においてもはなはだ不完全な・慣習法を確定させるための方法を完成しようとせず、たしかにはなはだ不充分ではあるが・大いに考慮に値するベーゼラー(三二) Beseler の提案を拒否して、当時いまだ文献中にあらわれていなかつた生ける慣習法のただ一つの場合をすらも扱おうとはしなかつた。なるほど彼らは、法が民族の法意識の中において発展することを主張したが、立法を大いに非難したことを除いては、すでに確定されている法の中に新しい法が入つてゆく過程を、示すことができなかつたし、新しい法が法学に対して立法者から既成のものとしてあたえられていない場合に、法学がいかにしてそれを認識し採用するか、については何らのべるところがないのである。彼らの扱つた法素材はすでに完全に十八世紀の普通法学の中に包含されている。彼らは、その法素材をはるかに注意深く整理し、すでに先行者によつて扱われた事実を、しばしばなお一層精密に・しばしばまたただ一層こまかくつついて・観察し、法素材を、歴史的に・しばしばまた解釈的に・検討を経た資料によつて検査し、しばしば驚歎に値する明察力をもつて伝来の概念規定を訂正したが、その資料を豊かにしたり新しい方法を導入したりする試みは企てなかつた。

彼らは継続者をほとんどもたず、後継者はまつたくなかつた。なるほどベーゼラーは偉大な示唆にしたがつて糸の切れたところから新たに紡ごうとして多くの正しい考察を行つたにもかかわらず、それを徹底的に考え抜こうとしなかつたし、とにかくその思想をはつきりとは表現しなかつた。そのために、悪意の批判によつて、彼の寄与に対する一般的判断が容易に誤つた方向にむけられたのであつた。ただわずかのゲルマニスト(三三)と教会法学者とが、解釈法学者として、歴史法学派の精神にしたがつて実際の活動を行つた。しかし、ゲルマニストは大抵、いわゆるドイツ普通私法とともに、ドイツの地方的特別法(三四)に採用された古代ドイツの法制度の遺物を探究することにその活動を制限しており、教会法学者はただ一つの狭い領域しかとらえていないのである。

まさに慣習法というもつとも重要な問題においては、進歩よりもむしろ退歩がみられる。歴史法学派の亜流は、歴史的な法解釈学者としておそらく人間精神の偉業の一つたるサヴィニーおよびプフタの慣習法論を、ほとんど理解せずに見すごし、サヴィニーおよびプフタをこえて十八世紀の普通法学に結びついている。法形成を支配する力の法則を探究するのが科学の目的であるのだが、彼らにとつて慣習法はもはやそのような力ではない。彼らの問題とする点は、ただいかなる条件の下で、ローマ法大全・教会法大全・または現代法・の規定の解釈によつて確定される立法者の意図にしたがつて、慣習法が裁判官を拘束するか、ということだけである。したがつて、それは相変らず、裁判官は何をなさねばならぬか、ということのみを問題とする法律学である。そこでは非国家法に対する関心はすこしもない。慣習法論は教科書・全書の序節の中にわずかに取り扱われているにすぎず、この熟知された論題を扱っているのは二・三の小論文のみである。体系的研究などはおもいもよらない。人は慣習法研究の方法すらも知らない。すなわち、慣習法の個々の場合を研究した少数の学者（ブルンス Bruns,[三五] フィッティング Fitting[三六]）も、もっぱら書かれた法源・なかでもとくに法学文献のみをたよりとし、したがって、大体制定法を扱うのと同様な方法で進んでいった。法的規則の解釈という表題で、実際はただ制定法の解釈が問題とされているにすぎない。少数の学者（ヴィントシャイト Windscheid,[三七] ベール Bähr[三八]）が現行法の叙述に際して判例を引用していることだけでも、開拓者的新機軸というに値する。

法体系の完結性の理論

したがって、サヴィニーおよびプフタが存在したにもかかわらず、法律学は依然、官職としての国家的裁判官の成立当時のままの状態にとどまっている。すなわち、それは国家法の適用の理論にとどまっているのである。したがって、現代の法学的文献および法学教育のほとんど全部は、すくなくとも私法の領域においては、制定法の内容を、そのもっとも細かい点まで・それが適用される最も極端な場合まで、できるかぎり明瞭に・できるかぎり忠実に・かつできるかぎり完全に説明する以外に何もしていない。しかし、かかる文献および教育はほとんど科学的とはいえず、実は制定法を周知させるのにとくに適した形式の一つにすぎない。この傾向の窮極的帰結は法体系の完結性および無欠缺性の理論となる。かくて歴史法学派は、国家の立法を要求した自然法学とまさに同じように、その反対物に転化した。ブリンツ Brinz[三九] によってはじめて明言されたのであるが、すでに非常に早くから歴史法学派の代表者たちによって抱かれていたかかる法律観の中において、自然法学の運命と同じ道をたどつた歴史法学派の運命が根本的に決定されているのであり、それは、その運命の中により高い摂理の支配があると思いたくなるほどである。歴史法学派を創始した二人の偉大な自然法克服者の全法律家的世界観と、あらゆる生起すべき法律問題の回答が現行法の中にあるのであるからそれを探しさえすればいいのだという教説との間には、まことに深淵があるのである。そして、かかる教説において――それは実際上は意味のない教説にすぎないから――、いかに全法律学が裁判官のための裁判規範以上のものになろうとしないか、ということがまつたくはつきりとあらわれている。けだし、法全体が、あらゆる人間の行為をあらゆる可能な関係においてあらかじめ規定する規則の完全な体系である、というようなばかげた考えをもつ者はたしかにまだ決していないからである。すでにイェリネック Jellinek[四〇] は、法体系の論理的完結性の教義は公法に妥当せずして、「法秩序のうち、個々の事件の最後の決定が裁判官の権限に属する部分にのみ」妥当する、ということを指摘している。その証拠としてイェリネックは、現行の公法の中では全く解決されない多数の公法上の諸問題をあげている。しかし、最後の決定が、裁判官の権限に属する場合においても事情は同一であるし、イェリネックのあげているあらゆる個々の場合においても終局的解決を裁判官の権限に属させることが可能であろう。もし然りとすれば裁判官はかならず解決を発見せねばならぬであろうが、たしかにそれは論理的に完結した法体系に基いてはなされない。けだし、その解決はその法体系の中には包含されていないからである。したがつて、イェリネックが公法の特異性と考えたものは、実はあらゆる他の法域にも妥当するものであり、法体系の論理的完結性の原則は、科学的に確定された事実ではなくて、単に生ずべきあらゆる場合に備えて裁判官のために裁判規範を充分に準備し・裁判官をできるだけそれに縛りつけようとする・実践的な努力を意味するにすぎない。

強制秩序としての法

このようにして最後に、法は強制秩序であるとし、強制し得る請求権をあたえ強制しうる義務を負わすことが法にとつて本質的なことであるとする見解が、今日においてもなお依然として支配的であることの意味が、はじめて了解される。まず第一に、強制とは何を意味するかを、明らかにする必要がある。強制ということばが、あらゆる種類の心理的強制を指しているということはありえない。というのは、人は通常全く法の領域以外においても、何らかの心理的強制によつて行為するからである。法の場合において強制とは、法に特有なものと考えられる種類の強制、したがつてただ刑罰と強制執行の威嚇による心理的強制を意味するものとしか考えられない。しかし、この両種の強制が法の本質的特徴と考えられるということは、ただ、人がここでもまた裁判官によつて適用される規則のみを法とみている、ということによつてのみ説明される。一つの訴訟事件が裁判官の前に提起される場合には、稀な例外を除けば、たしかに、その目的とするところは、裁判官に刑罰に処してもらうか、あるいは裁判官に権利を認めてもらつたのち、必要とあれば請求権を強制的に実現する、ということである――そして、きわめて稀な例外を除き、現在において裁判官の判決は事実上も執行しうるのである。裁判官の適用する法と強制的に執行しうる法とは、今日でも大体一致している。しかし、法をまず行為の規則とみる者にとつては、刑罰の強制も必然的に背後に退く。かかる者にとつては、人間生活は裁判所の前で演ぜられるものではない。各人が無数の法関係の中にあるということ、非常にわずかな例外を除いては、各人がかかる諸関係において自分の義務とされていることを、全く自由意志に基いてなしているということは、目でみただけでわかるはずである。すなわち、各人は父または子として・夫または妻として・自分の義務を遂行し、隣人の所有権の享有を妨げず、債務を支払い、売つたものを引き渡し、雇主に対して提供の義務を負う労務を給付する。もちろん、彼らはみな、必要な場合には裁判所によつてかかる義務が強制されうるのだということを知つているがゆえにのみ、その義務を行うのだ、という抗弁を、法律家は用意しているに違いない。〔しかし〕もし法律家が、人間をその作為および不作為において観察するという・たしかに彼には不慣れな骨折を引き受けようとするならば、かかる人たちが裁判所の強制などはほとんど全く考えていないということを、容易に納得するであろう。通常はもちろんそうなのであるが、それらの人たちが単純に本能にしたがつて行動しないかぎり、それとは全くことなつた動機がその行為を決定する。すなわち、もしそうしなければ親族と不和になり、その地位を失い、顧客を喪失し、争いが好きな・不誠実な・軽率な人間であるという評判を招くであろうということが動機になる。しかし、法律家にとつても、人がこの意味において法義務として行い、または行わないことが、官によつて強制されうることとしばしば全くことなつたものであり、その上往々にしてその方が官によつて強制されるものよりもはるかに多いということは、少くとも、みのがされる筈がないであろう。行為の規則が強制規範と全くことなることは稀ではない。

強制は法の本質的特徴ではない　国法および行政法の大部分にはかかる意味における強制が全く存在しないということは、すでに早くから注目されていた。もしこの説に対して、大臣の責任・官吏の議会に対する責任・あるいは服務紀律上の責任に存する強制を援用するならば、まず第一に、かかる「強制」もなお執行の強制と同一であると言いうるかどうかを、明らかにしなければならないであろう。この両者は、相互に著しくことなるもののようにおもわれる。もつとも、ここでは、かかる鈍い武器——大臣弾劾はほとんどつねにそうであり、議会に対する責任と服務紀律上の責任もたいていの場合そうである——が、はたして強制手段といいうるかどうか、という心理学的な問題は、全く考察の外においてよいであろう。しかし、国際法、教会法、および絶対主義的ならびに非議会主義的な憲法を持つ国家の国法・および行政法の相当な部分、とりわけ議会のごとき代表団体の権限および議事進行を規整するすべての規定については、ほとんど、かかる逃路も利かないのである。議会の多数および代表団体の議長が同意すれば、ほとんどすべての憲法の破砕も責任を伴わないで行いうる、ということはすでにしばしば指摘されている。しかしその場合でもたしかに、「世論の強制」・「一般の憤激または反乱」・最後に革命の警告が、残っている。しかし、かかる種類の・法に規定されず・かつ法によつて規律されない・強制の威嚇も、なお法の本質的特徴といいうるだろうか。道徳 Sittlichkeit・習俗 Sitte・名誉 Ehre・常識 Takt・礼儀作法 guter Ton・流行 Mode のいずれに属するにせよ、侵害されたときにかかる種類の強制を生ぜしめることができないような社会規範はないのであり、しかも上述の・法以外の規範の中には、しばしば法の強制よりも強制力が強く、その上ときには法的な執行の効果をさえしのぐほど強制力が強いものがある。仕立屋の債務は払わずに賭博の債務を履行する者が多く、刑法の禁止を軽蔑しても社会的な強制には盲従して決闘する者も多い。

法の大部分が実際に効力をもつのは強制秩序としてではない

以上のことはすべてすでに充分に説かれたことであつて、再びそれに論及することはよけいなことである。したがつてただ従来等閑に付せられていた点だけをとりあげることにしよう。それは、私法においても少くとも有効な法的強制が欠けていることがいかに多いか、という点である。このことはとくに、継続的な法関係から生ずる・厳密に時間と結びついた・純粋に人的な請求権のすべての場合においてそうである。家族員または組合員相互の諸々の権利義務、団体の機関・理事・社員または社員総会の諸義務を定める多くの規定は、法律家のいうごとく権利をあたえていないという理由だけで、すなわちそれを実現すべき法的救済手段を欠くという理由だけで、強制しうる法的状態はなんら作りださないのである。しかし、この種の場合には、従来から存する法的救済手段があつたとしても、これを利用する可能性すら全く欠けていることも多い。社団の理事が読書室を社員に使わせないからといつて社員が理事を訴えるであろうか。また女中が家の掃除をしなかつたからといつて主人が女中を訴えるであろうか。訴えたところでかかる訴がなんの役にたちえよう。損害賠償請求権はすこしの保護にもならない。なぜならば、いかにその瞬間において彼の権利にとつて重大であるにせよ、語るに足るような損害をのちになつて証明することはできないであろうからである。義務者がかかる行為によつてその関係を維持しがたいものにしたときになつてはじめて、権利者にとつて、解除と損害賠償を請求するという法的救済手段が効果のあるものとしてあたえられるであろう。相手方がその法および契約に違反する行為によつて、損害賠償と引きかえにその関係の解消そのものを意図することが多ければ多いだけ、解除および損害賠償という救済手段も、相手方の義務履行の法的強制としての意味を失うことになる。人間社会の秩序はもろもろの法義務が一般に履行されることに基礎をおくのであつて、その履行を訴求しうることに基礎をおくものではない。

法は秩序である

従来の法律学によつて、たとえ形式においてはつねにそうではないにせよ、その実質においてはつねに強く固執されているところの、国家的強制秩序としての法の概念から、かくてともかく三つの特徴をとりだすことができる。しかし、法が国家に由来することも、それが裁判所その他の官庁の決定の基礎たることも、あるいはその決定に伴う法的強制の基礎となることも、いずれも法の概念に本質的なものではない。しかしまだ法の概念の第四の特徴が残つており、人はまさにここから出発せねばならぬであろう。それはすなわち、法は秩序である、ということである。ギールケ[四二] Gierke が、国家をも含めて仲間的団体 Genossenschaft と名づけた諸形象において法のかかる本質を認識し、細目にわたるその研究においてこれを説明したことは、彼の不朽の功績である。仲間的団体の概念のおよぶかぎりにおいては法は組織であり、仲間的団体の各成員にその団体内における各成員の地位・上位下位関係およびその任務を指示する規則である、ということは彼の労作の成果によつて確定的なことと認めてさしつかえないであろう。しかし法が、主として、団体関係から生ずる争訟をそれに基いて決定するために、その団体に存する、と考えることは今や全く不可能である。法的争訟が裁判する基準とされる法規範・すなわち裁判規範は、制限された任務と目的とを有する法規範の一変種にすぎない。*

* 組織形式たる法規範と裁判規範との対立が、マックス・エルンスト・マイヤーによつてはじめてなされた法規範と文化規範との対立と合致する、といつて私は非難された (Battaglini, Le norme del diritto penale, Rom, 年代不詳)。そこで私はまず第一に、私が組織形式と裁判規範との対立をはじめていつたのは一九〇三年三月四日のウィーン法学協会において私の行つた講演「自由な法発見と自由法学」Freie Rechts findung und Freie Rechtswissenschaft においてであることを、指摘する。この講演は一九〇三年に印刷され、その序文は一九〇三年六月に書かれ、問題となる叙述はこの版の九頁に現われている。マックス・エルンスト・マイヤーの書物は一九〇三年に公刊され、その序文は一九〇三年八月八日の日附になつている。したがつてマイヤーにとつても私にとつても、いずれも借用は問題になりえない。私の学説が、たとえしばしばマイヤーと同様な結果に到達したとしても、マイヤーの見解とは全くことなつた見解から出発し、全くことなつたところをめざしていることは、注意深い批判者ならば、みのがすはずがなかつたであろう。

ギールケの理論は、法の全領域に妥当することを仲間的団体の法に対してのみのべている、という点だけが一面的である。仲間的団体の法が人だけでなく物をも組織するということを、彼自身の著作が示している。すなわち、団体員は何をなし何をなさざるべきかということのみならず、それとともに団体財産はいかに団体員に奉仕すべきか、が問題となるのである。ギールケがその仲間的団体の概念をきわめて広く解し、ほとんど全ドイツ法をこの見地の下にとりいれているということはすでに指摘されたところである。しかし、事実この点に正しい偉大な認識への芽ばえが存する。ちようど、我々が彼の足跡をたどるとき、彼によつて設けられた限界をはるかに超えて、いたるところに組織された団体をみいだすごとく、我々はいたるところで法をあらゆる人間団体の組織者・担い手として認めるのである。

法社会学は法の科学的理論である

現代では、社会科学といえば、人は、理論的なものであれ、単に実用的なものであれ、人間社会に関するあらゆる種類の科学を考えるのであり、したがつて、それは理論的国民経済学のみならず、実用的国民経済学(いわゆる国民経済学 Nationalökonomie)、統計学、政治学を包含する。約一世紀前に、フランスの哲学者オーギュスト・コント(四二) Auguste Comte は、理論的社会科学全体に対して社会学という言葉をはじめて用いた。実際、社会学に特別の内容をあたえ、それを、すべての理論的社会科学の内容の綜合たることを本質とする独自の科学に・いわば諸社会科学の統一的な「総則」たることを本質とするような統一体に・しようとする試みは、なるほどなかつたわけではない。かかる科学そのものの存することは正当であるとしても、しかしそれを社会学と名づけることは妥当でない。けだし、その場合には、理論的社会科学全体に対しては他の名称を発見せねばならぬだろうからである。法律学といえば従来つねに理論的な法の理論と実用的な法の理論とを指すものとされてきたし、この使いなれた言葉は引き続き使用されるであろうが、法の真の理論たる法の科学 Rechtswissenschaft と、実用法学 praktische Jurisprudenz ——誤解のおそれのない場合には単に法律学 Jurisprudenz と呼ばれる——とは、区別する必要があるであろう。法は社会現象であるから、あらゆる種類の法律学は社会科学に属するが、ほんとうの法の科学は理論的社会科学すなわち社会学の一部である。したがつて法の社会学は法の科学的理論なのである。

二　社会的諸団体の内部秩序

人間社会の概念

言うまでもなく、人間社会という概念は、すべての社会科学的考察の出発点である。社会とは、互いに接触する・人間の諸団体の総体である。そして、社会をつくるこれらの諸団体は非常に多種多様である。国家、民族、国際法上の国際団体、国家や民族よりもはるかに広い拡がりをもつ・地球上の文明諸民族の政治的・経済的・精神的・社交的な団体、宗教団体および個々の教会や宗派や宗教上の流派、団体、階級、等族、国内の政党、最狭義および最広義における家族、社会的な徒党や派閥のごときがそれであるが、かみ合つた環と重なりあつた円からなる・かかる世界の全体は、その環や円の間におよそ交互作用が認められるかぎり、〔さらに〕一つの社会を構成するのである。たとえばまず地球上の文明諸民族よりなる一つの社会があり、その中にいろいろのより狭い社会、たとえば、キリスト教やマホメット教を奉ずる諸民族の社会があり、最後に、一つ一つの文明民族のみを含む社会がある。この意味の社会の範囲外にあるものとしては、地球上の未開野蛮の諸民族のごとく、それらの影響を全くうけない諸民族がある。最近まで日本人や支那人もそうであった。もつとも、彼らは他からはなれて、それだけで、独自の社会を作つていたのである。

原生的諸団体　いろいろの種類の人間集団の中から、まず、後に原生的団体と呼ばるべき・ある種類の組織された団体をとりださなければならない。それはすでに原始時代において、いろいろ形、すなわち氏族 Sippe（Geschlecht, gens, clan）・家族・家共同体の形をとつて現われている。氏族と家族とは原生的団体の最初の形態である。しかし、そのいずれが真の原型と見らるべきか、すなわち、氏族は家族が成長して大きくなつたものにすぎないか、あるいは、家族は氏族よりずつと後になつてはじめて氏族の中に生じたものか、という問題は、今日ではまだ論じないでおくほかはない。ただ、人間が集まつて団体を作つた瞬間から、〈動物のそれよりも〉大きい・人間の社会形成力が、生存競争における人間の一つの武器となつた、ということは疑いない。人間の社会形成の結果、我欲や猛獣的衝動のかつた者どもは、だんだんと排除されて没落してゆき、かかる社会形成力ある者は、団体全体の力をも利用しうる結果、今やより強き者となつて生き残る。かくて、自然淘汰と遺伝とは、ますます社会形成力の強い人類をつくりだす。人はお互いに頼みとしあつているのだ、という予感に根ざす連帯の感情が氏族を生ぜしめ、その感情は、さらに、祖先を同じくするという意識によつて強められて、かの〈血縁的・母系的〉家族を生ぜしめる。共同労働の必要上共同生活をするようになる遊牧民や農民にあつては、家共同体が家族から発達してくる。

もつともそれは通常同じく家族と呼ばれている。原生的諸団体すなわち氏族・家族・家共同体が結合することによつて、種族が・また後には民族が生ずる。

比較的低い発展段階にあつては、人類の社会的秩序は、原生的諸団体およびそれらが結合した種族とか民族とかに、全く依存している。それゆえ、かかる諸団体はいろいろな役目をも果すのである。氏族・家・家族は経済的・宗教的・軍事的・法的団体であり、また、言語上・習俗上・社交上の共同体である。しかし、社会が進歩してくると、これらの任務は徐々に原生的団体から離れるようになり、別種類の集団が生れてくる。それは、それの〈固有の〉新しい任務とならんで、原生的団体のしていた古い任務をも自己の任務の一部としているのである。自治団体・国家・宗教団体・社団・政党・社会的党派・社交団体・農場や仕事場や工場における経済上の団体・営利会社・職業団体・取引団体等がそれである。文明のもつとも進んだ諸民族においては、人は、ほとんどはかり知れないほど多くの・きわめて種々の共同体の中に入りこんでくるのであつて、生活はますます豊かに・ますます多様に・ますます複雑になるのである。その結果、かつてはあれほどまでに強力であつた原生的諸団体でさえも、一部は勢力が衰えてくる。一つ屋根の下に住む近親からなる家共同体、すなわち、狭義の家族のみがごく最近まで栄えてきた。大家族はすでに全く色あせ、また氏族については、高級貴族および農民の中に、やつとその痕跡が認められるにすぎない。

新しい諸団体はすべて原生的諸団体に対して顕著に対立する。きわめて少数の例外を除いては、人はみな原生的団体に属しているが、他の団体についてはかかる必然性は存在しない。人は多く原生的諸団体の中に生れるのに反して、他の団体への帰属は、大抵の場合、自由な加入と自由な受入とによつて決定されるのである。原生的団体はその起源を無意識的な衝動に負つているが、より新しい諸団体は、人が意識的に行動して作りあげたものである。そしてこの対立は文明の進歩につれて拡大してくる。まだ百年くらい前までは、人の素性、したがつて、その人の原生的団体が、彼の仕事・職業・宗教団体・政党への所属・社会的な諸結合にとつて決定的であつたことは、今日に比してはるかに甚しいものであつた。これらのすべてが人の自由な選択によつて決せられる程度は現在に比して甚だ少かつた。

文明諸民族の最古の法においては法規は少ししかない

現代ヨーロッパの文明諸民族の前身である諸部族の原始時代における法については、我々は知るところが少い。しかし、とはいうものの、疑いもなく、今日我我が、主として、否、ときとするともつぱら、法と名づけるもの、すなわち、各個人の上にたつ一つの権力から発し・各個人に対しては外部から課せられるところの・言葉に表現された・固定した法的規則というようなものは、それら諸部族の間には、ほとんど、ほんのわずかの痕跡もみいだされない。彼らの法なるものは、まず何よりもさきに、氏族・家族・家における秩序である。それは有効な婚姻の要件および効果を定め、夫婦相互の関係を定め、子の親に対する関係を定め、さらには、氏族・家族および家のその他の成員相互の関係を定める。各団体はすべてかかる秩序を全く独立に作りだすのであつて、他の団体の中にある同様な秩序によつては少しも拘束されないのである。そして、一民族の中における同種の諸団体の秩序が通常あまりことなつていないのは、生活条件が似かよつていることによつているのであり、しばしば、また、〔その秩序を〕よそから借りてきたことによつているのであつて、なんらかの仕方で、同一の秩序が外部からそれらに対して定められたためではないのである。ドイツの学術用語に従えば、かかる諸団体においては、ときには共通の法 allgemeines Recht は存在するかも知れないが、普通法 gemeines Recht は存在しないのである。

最古の土地法　土地所有が確立されはじめるや否や、それに対する法はなるほど発生するのであるが、一般的な法的規則はやはりないのである。個々の定住地はすべてみずから土地法を作りだす。荘園領主 Grundherr はすべて独立に土地法を彼の隷農に課する。王の発する土地貸与状はすべて、他のものからは全く独立に貸与地の法的状態を決定する。それゆえ、個々の自治団体・定住地・荘園における具体的な法関係はなるほど存在するが、ローマ法大全や近代諸法典にみられるがごとき土地所有権法は存在しない。

最古の契約法

契約についても同様である。契約法は締結される契約の内容にのみ依存する。契約に関する一般的法規は全く欠けており、ローマ法大全や近代諸法典に充満する強行規定・補充規定・解釈規定は、すべて欠けている。契約が沈黙しているかぎり、法のない空間ができる。しかも、比較的古い法にとつてかくも特徴的な文言的な狭量な契約解釈は、いわゆる形式主義――それはかえつて原始時代には全く存在しなかつた――によるのではなくて、契約の文言以外に人の頼ることができるようなものが何も存在しないためなのである。

最古の相続法

最初に一般的な法的規則ができたのはおそらく相続法においてであろう。しかし、最古の時代においては、家の成員のみが死者を相続したのであるのに、これらの一般的規則は、遠い親類の権利についてのみ規定している。十二表法[四三]もまだ家内相続人[四四] sui heredes については何も規定するところがなく、父系親族および氏族員について規定しているのであるが、同様のことが、古代ドイツの諸部族法やスラヴの諸法書に見えている。このことはこれらの規則がかなり後の時期のものであることを示している。すなわち、家族の一員が死んだのち、その家の成員がいかに死者の所持品を処置するかに関しては、有史時代に至つてもなお、個々の家および氏族が独立に決定していた。ただ、家の成員が誰もいない場合のためにのみ、すでに比較的古い時代において一般的な規定が成立していたのである。

最古の国家　最古の国家は、それを建設した高貴な氏族の協議にもつぱら基礎をおいているのであり、この協議のほかには、個々の国家機関の地位・権利・義務を確定するようなものはなにも存在しない。やがて、一時的な統率に代つて終身王制が・そしてついに世襲王制が・現われると、いつさいのことは王の人柄・富・勢力や随身の数・勇敢さ・忠誠によつて決せられるようになる。王が随身に信頼できるならば、王の権力はときとして相当広くまでもおよぶのであるが、そうでないと王は、比較的重要な統治上の行為をするにあたつて、部族の有力者の同意を・必要とあらば全部族の同意を・たしかめなければならない。したがつて、長老の助言や部族集会は、立憲的な制度ではなく、王がその意思を貫徹するための手段にすぎない。王の役人の権能は王が彼らにあたえた委任と王の権勢とにのみ基いている。それについての法規はやはり存在していない。

法規のない法の後代における残存物　ノアの洪水以前の蚊がこはくの箱の中に入れられているのと同様に、今日の王侯の家憲の中には、人類最古の法的状態が現代にいたるまでいくらか命脈をたもつてきた。フォン・ドゥンゲルン v. Dungern（四五）は、王侯の家憲がすこしも実質的な内容をもつていないことを、疑いの余地もないまでに実証した。王侯の家憲は、上流貴族に属する家族が自分の法関係を独立に決定できる、ということのみをその全内容としているのである。彼らが自分の法関係について何を定めるかは、全く彼らの自由である。同様に、かつては全部の法が、今日なお残っている王侯の家憲と同様な状態にあつたのである。ところで、上流貴族の家族の自律は家族法や相続法の二・三の問題をとらえているにすぎないのであるが、原始時代においては個々の団体・団体中の個々の法関係・契約・土地はすべて独自の法を有しているのであり、かかる個々の法関係の法のほかには別になんらの法も古代社会には存在していなかつたのである。

この法的状態をなお映し出しているのは、ホメーロス Homeros の詩[四六]・スカンジナヴィアのサガ[四七]・タキトゥスのゲルマニア[四八]である。十二表法の法的伝承やゲルマン法の最古の記録においてはその状態はもちろんいくらか進歩している。そこでは身代金 Busse[四九]の制度や・刑事手続や・国家法および私法の二・三の問題・に関する一般的法規がすでに書かれている。すなわち、一部分はもちろんローマ法から借りてきたものにすぎず、一部分はまたローマ法にならつたものであるが、その大部分は法の発展が進んだことの証拠となるものである。スラヴの法源とビザンチン法との関係[五〇]もまた同様である。

しかし、有史時代の高度に発達したローマ法でさえやはりかかる比較的古い状態を示す無数の残存物を含んでいる。ローマの家や氏族の内部ではいつさいのことが自律にまかされており、ローマの契約のうち比較的古くからある部分においては、契約義務の要件効果に関する一般的規定が欠如していることの必然的結果として、権利義務を決定するのはもっぱら契約の文言である。有史時代においてなお見られるローマの遺言の支配や・相続財産分割の訴(五一) actio familiae herciscundae における実子相続人間の協定に関する規定の完全な欠如・から明らかなように、家内相続人の相続権は古くから規則によって定められてはいなかった。氏族員の相続権が一つ一つの氏族によって独立に規整されていたことは、はっきりした証拠がある。さらに、一体ローマの国法とはいかなるものであるか。モムゼン(五二) Mommsen が「ローマの国法」という標題の下で我々にあたえているものは、少数の国法的な制定法を除くと、ローマの国家機関がローマ帝国の存続中に事実上なしたことについての記述である。モムゼンは、なるほど、いたるところで一般的法規に到達している。しかしこの一般的法規はきわめてわずかの例外を除けば彼自身の精神的労作の所産であり、彼によって事実から引きだされたものであって、ローマにおいてそれが事実に対して適用される規則であったわけではない。これをローマの国法と呼ぶならば呼ぶこともできるが、ローマの国憲でないことはたしかである。これとほとんど同じことが今日なお東洋のいたるところでみうけられる。上流社会の東洋人がヨーロッパを旅行してまわり、ヨーロッパ的な教育を受けるようになってからは、なるほど東洋においても制定法やときとすると成文憲法さえもがないとは言えなくなっている。しかし、その大部分はやはり遊戯にすぎず、遠い将来に対してはおそらく意義なしとはしないであろうが、目下のところは働きのないものなのである。もし東洋国家の実際の国法を知ろうとするならば、個々の国家機関の働きを自分自身の観察によつてとらえるように努めなければならない。そして、自分の目でみるということは、ラテン碑文大全（五三）Corpus Inscriptionum Latinarum を見ることなどよりもはるかに値打があるのである。エジプトの国法に関するドゥンゲルンの著書の方法論的意義はかかる認識に基いている。

したがつて原始的段階における法秩序は全部人間団体の内部秩序として存在する。国家ももちろんこの団体の中に入る。団体が法を作るにあたつて、すでに他の団体に存している秩序を模倣したり、またそれが分裂してゆくときにはその秩序を引き継いで続けていつたりすることが、きわめて多いのではあるけれども、すべての団体はその内部秩序を独立に作るのである。したがつて、社会関係の相似性に基くものを入れれば、共通の点が〈社会的諸団体に〉決して欠けているわけではなく、それが外部からの観察者には民族の普通法のようにみえるかもしれない。しかし、これはやはり、観察者が見聞きしたことについてみずから行つた一般化にすぎない。タキトゥスが古代ゲルマン人の法関係についていろいろ語つているが、その報告を一目みさえすれば、それは法規を少しも含んでおらず、ゲルマン人がしたりしなかつたりしたことを記述しているにすぎない、ということがわかる。人々がすでにこの時代に社会と呼ぶことができたものは、法的規則によつてではなく、もつぱらその団体の内部秩序によつて、平衡を保つていたのである。

封建法の本性

多くの世代をとびこえて我々は封建国家に移つてゆくこととする。現代人にとつて封建国家を理解することが非常に困難なのは、封建国家の憲法を長い間探していたからである。ところが封建国家の特徴は、まさに、そこには憲法がなくて契約だけがある、ということなのである。王はその封与した豪族と・豪族は自分が封地をあたえてやつた者と・そして最後に後者はその受封者と・それぞれ契約関係にたつている。一番下にいるのは非自由人である。一ないし数箇の段階が抜けていたり、各段階の封建領主が直接に非自由人をもつていたりすることがあるのはもちろんである。したがつて封建国家の国法を残るくまなく記述しようとすれば、封建領主が受封者と結んだあらゆる契約の内容や、その非自由人との関係――これもまたもつぱら契約上のものであることがきわめて多かつたのであるが――を述べなければならない。かかる契約や非自由人に対する関係は、一定の地方・一定の民族においては相互に非常に類似していることが多い。しかしこの類似性のよつてきたところは、ここでもまた一般的な規則ではなく、附随的状態の同種性や直接の模倣・借用なのである。人が「封建法」と呼んでいるものは、はじめは、個々の契約に共通なものの学問的加工物にすぎないものであり、のちにいたつてはじめて、これが契約内容を補充する一般的な法的規則へと変形してゆくのである。

もちろん進歩した封建法は、個々の封建領主に属する受封者の集会を、ときとしては、直属の受封者の集会だけでなく隷農の集会をも、認めており、かかる集会は共同の決議をなすものであつた。しかし、少くとも制定法の思想が入りこんでくるまでは、この決議は今日の意味における法規をすこしも含んでいなかつた。それは単に共同の意思の表明にすぎず、その法的意義は、それが封建領主に採用されることによつて封建領主との合同契約となる、という点に存していた。ドイツ国会の最古の決議(五四)はこの意味における合同契約であり、今日まで英国憲法の基礎をなしているマグナ・カルタ(五五) Magna Charta Libertatum は合同契約であつたのであり、ドイツの荘園法・僕婢法もその本質においては合同契約なのである。

しかしながら封建体制は封建国家の社会的秩序の全内容をつくすことはできなかつた。封建国家の内部には氏族・家族・家なる古代の団体がなお依然として生存を続け、氏族だけが著しく力を失つたにすぎなかつた。またそれらとならんで一群の社会的任務を引き受けた新しい地域団体が発生した。地域団体の中では、都市が大きな意義と高度の独立性とを獲得し、都市はこの独立性のために本質においては封建体制の外にたつことになつた。封建体制は本来つねに農村の体制たるにとどまつた。都市の城壁の中では無数の・独特な・よそにはなかつた・社会的諸団体が発展し、活潑な法生活が発達した。完結した法制度はここではじめて一群の法規の形をとつて現われた。すなわち土地法・担保法・契約法・相続法である。

　これらの法規はそれでもやはり法秩序のきわめてわずかな部分をなしているにすぎない。大多数の法的状態は、封建国家においても、法規ではなく社会的諸団体の内部秩序に基礎をおいている。（五六）かかる社会的諸団体には、氏族・家族・家のごとく古来のものと、受封者の団体・領主制農場 Gutsherrschaft・マルク共同体（五七）・都市共同体・ギルドとツンフト・社団と財団のごとく新たに生じたものとがある。中世社会の法を学ぼうとする者は、法規を学ぶことにとどまってはならない。彼は土地貸与証書（五八）・Bewidmung（五九）・Urbarie（六〇）・土地台帳（六一）・都市の帳簿（六二）・ツンフトの規則の中に法を研究しなければならない。かくて、今日においてもなお、法の重点は人間団体の内部秩序に存するのである。

近代における法規の成長

　現代の法をすぎさつた諸世紀の法と比較するならば、一目みただけで、上から公布された成文法規がその間にうけとつた大きな意義に驚かされる。全ヨーロッパ国家の国法は、おそらく大英国を唯一の例外として、国家官庁の法や行政法や訴訟法と同様にこの形式をとるようになつたのであるし、私法全部と刑法とは一見多くの法的規則からなりたつているようにおもわれるのである。かくて法は法規の総体にほかならない、という観念が、今日では我我を完全に支配している。

社会的諸団体の内部秩序はなお今日の法を支配している

けれども、この観念は非常に矛盾していて、いわば我と我身に反対しているといってよいほどである。国法や行政法や訴訟法では内部的矛盾の現われかたがもっとも少い。しかし事実的なものの規範的意義とか、習俗的規則とか、官庁の慣例とかについての近時の研究は、かかる法もまた単に法規のみから構成されているのではない、ということを、まさにこの分野において示したのである。これに反して家族秩序は今日においても、法規によつて規定されているのは、ほんのうわべだけにすぎない。社団法や財団法は現代においても主として定款に基いている。契約法についての詳細な規定があるにもかかわらず、契約についての法規よりも契約の内容の方が、個々の場合にはやはりはるかに問題となる。実際の相続法秩序においては、終意的意思表示、夫婦財産契約、相続契約、共同相続人間の遺産分割の協定の方が、相続法についての法的規則よりもはるかに重要である。裁判官や行政官吏は誰でも、自分が法規だけに基いて決定することが比較的稀だということを知つている。大多数の決定は、文書とか証人や鑑定人の陳述とかに基き、また、契約・定款・遺言およびその他の表示に基いてなされている。したがつて法律家がいつているように、「法律問題」(六三)よりもはるかにたび多く「事実問題」(六三)について判決が下されている。しかし、この事実問題たるやまさに人間団体の内部秩序であつて、裁判官は証人や鑑定人の陳述・契約・定款・共同相続人間の遺産分割の協定・遺言からそれをとりだしてくるのである。したがつて、原始時代におけると同様に、今日なお人間の運命は、法規によるのとは比較にならぬほど高度に、団体の内部秩序によつて規定されているのである。

法の事実は法規より先に存在する　この真理は法律家の眼にほとんど触れてこない。というのは、事実問題の解決も、法律家にとつては、単に自分の確定した事実状況をある法規の下に組み入れることだと思われるからである。しかし、このことはもつぱら、純粋に法律家的な思惟慣習に基いている。国家は憲法より以前から存在していたし、家族は家族秩序より古いものであり、占有は所有権に先行し、契約は契約法のできる前から存在し、遺言でさえそれが原生的に発生したところでは遺言法より以前に及んでいる。拘束的な契約が締結され拘束的な遺言が作成される以前に、契約や遺言を拘束的ならしめる法規が存在しなければならない、と法律家が考えるならば、彼らはこのことによつて抽象的なものを具体的なものより前におくこととなる。契約法や遺言法に関する法規が人を拘束するという方が、契約や遺言が法規なしで人を拘束するというよりも、法律家にはおそらく理解しやすいことであろう。しかし、諸民族や個々の人間は、その一部をなす法律家を除くと、決してこのようには考えていない。過去において人間を支配していたのは、明らかに、契約や封与から権利が生ずるという観念であり、法規から権利が生ずるという考えはその全くあずかり知らぬところである。そして、法律家的理論が手を加えないかぎり、権利が生ずるのは法規からではなく、人間の間の諸関係・つまり婚姻とか契約とか遺言とかからである、と現在でもつねに考えられている。人が権利を得るのが法規のおかげであるというのは、なお今日でさえ法律家だけの熟知している見解である。しかし、社会現象は、それを法律家的に構成することによつてではなく、その基礎をなす諸事実から思考の経路を開いてゆくことによつて〔のみ〕、説明されうるのである。

原始時代には法規は存在しない

上来の叙述においてはわざとヨーロッパの諸民族だけを考えてきた。しかし、もちろんそれはこれらのものだけにあてはまるのではない。自然民族においては法は一般にその団体の内部秩序と一致している、一般的法規は低い発展段階では全く欠けている。それはいくらか高度の段階になつてはじめて、まず宗教的命令の形をとつて現われる。しかし、抽象的法規が生活に自分の意思をおしつけることができる、という思想を完全に理解しうるのは、一般に非常に発達した人間にかぎられるようである。中世初期のドイツ諸部族法は、なるほど、非常に詳細な法規をすでに部分的に含んではいるが、それは、ローマの住民が充分数多く存在しその結果ゲルマン社会においてもローマ的な考え方が生き残らざるをえなかつたような場合にのみ、適用された法であつたようである。立法の影響が中世においてもなおいかにわずかなものであつたかは、充分に知られている。後進諸地方、すなわち東洋や、部分的にはまたヨーロッパ東部および南部において、西方からやつてくる旅行者を誰でも驚かすのは、一般的な「無秩序」である。この無秩序は、一般的法規が存在する場合でさえやはりそれが守られていない、という点に存している。公共生活におけるこの無秩序と奇妙に対立しているのは、古来の秩序が、小さい団体、すなわち家・家族・氏族において、厳格に守られていることである。

比較法学の巨匠であるヘンリー・サムナー・メイン卿（六四）Sir Henry Sumner Maine は、すでにこれらの現象を他の問題との関連において指摘した。彼ははじめて、最古の法はつねに訴訟法であつた、とのべた。言葉のままにとるならばこの記述はもちろん無意味である。全秩序が訴訟法に基いているなどというほどまだ単純であり原生的である社会がある、とは考えられない。どこへいつても、法的争訟でさえ訴訟法的規範のみに基いて裁判されているということはない。たしかに訴が原告の方式の誤りのために却下されることはきわめてよくあることであり、また訴は被告の方式の誤りによつて容認される。しかし、手続の瑕疵が問題とならない場合には、やはりつねに実体法に基いて裁判がなされなければならなかつた。実体法が存在しなかつたとすれば、このことは明らかに不可能だつたではないか。しかし、最古の法ではないけれども最古の法規が、身代金の制度と関連した訴訟法の法規であつた、というかぎりにおいて、メインの学説は正当である。実体法はたしかにすでに存在していたが、まだ法規の形をとつてはいなかつたのである。

諸々の人間団体の内部秩序は、単に法の原始的形態であるばかりでなく、今日にいたるまでその基礎的形態である。法規ははるかのちになつて生じたばかりでなく、その大部分は今日においてもなお諸団体の内部秩序から由来しているのである。したがつて、法の始源・発展・本質を明らかにするには、まず第一に諸団体の秩序を探究しなければならない。法を明らかにしようとする従来の試みは、諸団体の中の秩序からでなく法規から出発したことのために、ことごとく失敗したのである。

法規範と法規　諸団体の内部秩序は法規範によつて規定される。法規範は法規と混同してはならない。法規は、法的規則が、制定法または法書の中に、一般的拘束力をもつものとしてたまたま書き表わされたものである。これに反して、法規範は行動に移される法的命令であり、この命令たるや、文言には全く表現されていない場合にも、一定の・多分全く小さい団体の中で行われるごときものなのである。実際に効力をもつようになつた法規がある社会にあらわれるや否や、法規からまた法規範が生ずることとなる。しかしあらゆる社会において法規範は法規よりはるかに多く存在している。なぜかといえば、同種の諸関係に対する法よりも個々の関係に対する法の方がいつでもはるかに多く存在し、しかも法を文言にあらわそうと努める同じ時代の法律家の意識に上つたよりも多くの法が存在しているがゆえである。十二表法やサリカ法(六五)に含まれているものが、その時代に行われていた法のいかにわずかな断片であつたかを、近代の法史学者は誰でも承知している。しかし、近代の法典についても事情はことなつていない。過去の諸世紀において諸団体の内部秩序を規定していた法規範は、すべて伝統や契約や社団の定款に基いていたのであり、そして今日においてもなお法規範は主としてそこに求められるべきなのである。

三　社会的諸団体と社会的諸規範

社会的団体と社会的規範　社会的団体とは、相互に彼らの行為を規定するものとして一定の規則を承認し、すくなくとも普通は実際にそれにしたがつて行動するところの多数の人間である。これらの規則には、いろいろな種類があつて、いろいろな名前で呼ばれる。すなわち、法・道徳・宗教・習俗・名誉・良風美俗・常識・礼儀作法および流行の規則のごときである。おそらく、なお二・三のあまり重要でない規則、たとえば、遊戯の規則とか一列励行の規則（切符売場または流行医の待合室における）が、これにつけ加わる。これらの規則は社会的な事実であり、社会において作用する諸力の所産である。そして、これらの規則は、それが作用する社会からきり離して眺められうるものではなく、その社会的関連においてのみ眺められうる。それは、あたかも波動なるものが、波を伝える要素を考えることなしには、数えられえないのと同様である。これらの規則は、その形式と内容にしたがえば、規範、すなわち団体の成員に対してむけられた・団体内の共同生活に関する抽象的な命令および禁止である。このような行為の規則とならんで、規範ではない——なぜかというと、それらは、人間の共同生活に関係しないから——ような諸規則もまた存在する。たとえば、文法の規則、趣味または衛生の規則のようなものである。

法規範は他の社会的諸規範と同種である

法規範は、したがつて、単に行為の規則の一つにすぎない。そして、そのかぎりにおいて、他のすべての・行為の社会的規則と類似している。支配的な法律学は、いうまでもなく、この事実に対してすこしも重きをおかない。支配的な法律学は、むしろ、裁判官がただ法にしたがつてのみ裁判し、けつして他の規則にしたがつて裁判してはならないということを、あらゆる機会にできるかぎり徹底的に裁判官に教えこむという実際的な理由から、法と他の諸規範、特に、道徳との対立を強調する。法形成が完全には国家化されていないところでは、この対立はあまりめだたない。法が「善と衡平の術」(六六) ars boni et aequi と名づけられていたローマにおいては、この対立については、ほとんど何もいわれなかつた。そして、現在のイギリス人の間においてもまた、この対立はそれほど顕著ではない。法律学が実際的な裁判の目的を追求しない諸領域、すなわち、国際法・国法および行政法においては、法は、少くとも私法理論や刑法理論にあらわれるごとく綿密には、道徳・習俗・良風美俗・常識から、すなわち、今日のいわゆる習俗的規則から、いやそればかりか、単なる合目的性の考量からさえ、けつして区別されないのである。

あらゆる人間の関係は、一時的にせよ永続的にせよ、もつぱら団体における行為の規則によつて結合されている。規則が働くことをやめると、団体はその要素に分解し、規則が弱くなればなるほど、共同体は弛んでくる。宗教上の規則がもはや行われないならば、宗教団体は解体する。家族の成員がもはや家族秩序に従わないならば、家族は解体する。オーストリアの北部スラヴ人の間では、最近五十年間に、大家族(六七)の痕跡はまつたく消滅している。というのは、遠縁の家族成員は、もはや、昔のように、共同生活の規則を承認しないからである。

法的団体

すべての人間諸団体が法規範によつて規定されるわけではなく、法の世界に属するのは、その秩序が法規範にもとずいているような団体のみである。法社会学はこのような団体のみを対象とすべきであり、その他の諸団体は社会学の他の部門の対象である。法的諸団体のなかで若干のものは、その外形だけで容易に法的諸団体であることがわかる。それは、法律家が法人と名づけるものであつて、社団・営造物・財団・なかんずく国家である。しかしながら、公法においてすら、法人格を伴わない多数の法的団体、すなわち、官庁・営造物・国民・軍隊・階級・等族・職業団体が存在するのであつて、私法の領域においては、もつと多く見出されるはずである。

単なる裁判規範は団体における内部秩序をつくりださない

すべての法的団体においては、法規範がその内部秩序の脊柱を形づくる。すなわち、法規範は、法的団体の組織のもつとも強力な支柱である。組織とは、団体の所属員にその地位(その上位・下位関係)と任務とを指定する・団体における規則を意味する。この規則は、単に人間の人間に対する関係のみでなく、人間の物に対する関係にも関する。――のちの場合にもやはり、間接には、それは人間の人間に対する関係に関するのではあるが。というのは、消費物資の所有者は、それを貸してやる相手方が何を給付すべきかということをきめ、工場の所有者は工場内の秩序と経営の方針とをきめるからである。また、債権者は、債権の対象の運命とそしてしばしば債務者の運命をも決し、同様に、債務者もまた、彼が物の一時的な占有者としてその物に関して相当な法的の力をもつために、債権の対象の運命と債権者の運命を、ともかくも決するからである。しかしながら、団体内の秩序をつくりだすのは、団体のなかで行為の実際上の規則になつていて、そのゆえに人間によつてすくなくとも普通の場合には承認され遵守されている法的規則のみである。単なる裁判規範たるにとどまり、法的争訟が起つた割合まれな場合にだけ働く法的規則は、団体を秩序づけない。ましてや、およそ何の跡形もなく実生活のかたわらを通りすぎてしまうところの・実際上はかなり数多くある法規が、団体を秩序づけるものでないことは、いうまでもない。道徳・習俗・宗教の諸規範についても、いうまでもなく、おなじことがいえる。したがつて、立法者が立法し、宗教創始者が宣べ、哲学者が説いたことについては、そのうちのどれだけが法廷で適用され、教壇で説教され、書物や学校で教えられるかということだけではなく、どれだけが実際におこなわれ、生活のうちにとり入れられているかということが、つねに、問題にされなければならない。生活のなかに入りこむものだけが生ける規範になるのであつて、その他のものは、単なる教訓・裁判規範・教義あるいは理論であるにすぎない。習俗・名誉・良風美俗・常識・礼儀作法・流行の諸規範は、一般に、人間行為の規範であるという意味においてのみ存在する。たとえ、名誉（決闘の規則）・常識・礼儀作法・流行の新たな法典がいかなるときにあらわれるにしても、それが現実に生活のなかに浸透しないならば、まつたく無意味である。

社会学的な・法の科学の最初の、そして、もつとも重要な課題は、したがつて、社会を規律し秩序づけ規定する法の要素を単なる裁判規範から区別し、その組織化的性質を指摘することである。法の組織化的性質は、もつとも早く国法と行政法とにおいて認められた。国法が国家の秩序であり、けつして法的争訟を裁判するために存在するのではなく、国家の機関の地位と任務を決定し、国家の官庁の権利義務を決定するために存在するものである、ということは、まことに、もはやほとんど疑いの余地がない。それにもかかわらず、国家は、とりわけ、社会的団体なのであり、国家において働く諸力は、社会的な力である。国家から流れでるすべてのもの、すなわち、国家の官庁の活動、とくに国家的立法は、社会が行う仕事であつて、そのためにつくられた社会の団体たる国家によつて遂行されるのである。国家においては、社会を指導するところの・その階級・等族・利益団体が決定権をもつ。そして、国家がそれらの階級・等族・利益団体の一つに対して戦を宣するとすれば、このことは、まさに国家が、他の階級・等族・利益団体の手中にある、ということを意味するにほかならない。したがつて、国法のなかには、単に国家的な組織だけではなく、社会的な組織も含まれているのである。

あらゆる法は団体法である　一人の学者の豊富な生涯の大部分が、社団法の組織化的性質を説明し、社団法が文明特にドイツ文明に対して過去においてなし、そして現在もなおなしている貢献を説明するという仕事に費された。(六八) 歴史のすべての頁は、団体としての社団が政治的・精神的・宗教的・経済的および社会的生活の組織に対していかなる意味をもつか、ということを教えるのであつて、社会およびトラストに関するイギリスあるいはアメリカの著作のどの頁をとつてみても、さらにそれを完全にするのに役だつのである。おそらくこの本の目的のためには、これらの記述に何物かをつけ加える必要はないであろう。

ギールケは、彼が社会法と名づける国家法および公法的・私法的社団の法に対して、残りのすべての私法を、個人法として対立させる。それにもかかわらず、この対立は存在しない。個人法なるものは存在せず、あらゆる法は社会法である。実生活には、ばらばらの個人および孤立人はいないのであつて、法にとつてもまた、そのようなものは無縁である。法にとつて、個々の人間は、彼が生活によつてそのなかにくみこまれている無数の団体の一つの成員としてのみ、つねに存在する。

これらの団体は、それが法的な刻印をもつかぎりにおいて、法および他の社会的諸規範によつて秩序づけられ規律されるのであつて、これらの諸規範は、団体内においてすべての個々人に、その地位、すなわち、その上位・下位関係と任務を割りあてるところの規範である。この団体の一員であるということは、個々人に対して、事情によつては（決してつねにではないが）個々の権利義務を生ぜしめる。このことは、団体の一員であるということの結果ではあるが、その目的でもなければ本質的な内容でもない。

支配的な私法体系においては、それにもかかわらず、団体はただ非常に不完全にのみ表現される。私法学の分析的方法は、団体の要素を法主体および客体として、物権および債権として、個々別々に拡大鏡のもとにおくために、ほとんどすべての団体が寸断されるという結果をもたらした。このことは実用的には必要ではあろうが、しかし、とにかく非科学的である。これは、恰かも辞書のアルファベット順が実用的には必要ではあるが、しかし非科学的であるのと同じである。いかなる実用的な考量にも拘束されない社会学的な・法の科学は、かくて、別々に引き離された分肢をふたたび全体に結合するように努めなければならない。ただ表面的に観察する場合ですら、私法上の法人、法人格なき社団、会社およびその他の団体、家族は、あきらかに団体としてあらわれる。実際に、あらゆる私法は団体法である。というのは、私法は主として、さらに家族法を度外視すればまつたく、経済生活の法であり、経済生活は、例外なく団体において演ぜられるからである。

経済的諸団体の三つの課題

経済生活は、財貨の生産・流通および消費をその本質とするのであり、したがつて、私法の経済的諸団体もこの三つの課題に奉仕するのである。そして、まさにこの点において、現代の経済と、あまり遠くない過去の経済との間に、大きな対立が存在する。古代および中世においては、封鎖的な農家経済と宮廷および賦役農場のオイコス経済が重きをなした。（六九）これらは、あきらかに経済的団体であり、その法的秩序は明白であつた。封鎖的な家内経済は、現在ヨーロッパでは、おそらく遠くはなれた地方においてのみ、なお見いだされるにすぎないであろう。家族はいうまでもなく現在にいたるまで、すくなくとも農民階級や家内工業においては、また例外的には手工業においても、財貨生産の労働団体であることに変りはない。しかし、家族はもはやどこでも自足的ではなく、農民階級においても自分の生産のうちで自分自身の需要にあてるのはせいぜい一部分にすぎない。そして、家族が財貨生産の労働団体であることは、手工業や農民階級においても、消滅しつつある経済形態の単なる残存物たるにすぎないのである。普通には家族は、もはや財貨生産の場所ではなく財貨消費の場所なのであつて、消費財の最後の調整のみが、一般に、なお家族において行われる。このことを度外視すれば、現在、家と仕事場とははつきりと分れている。仕事場は生産された財貨を市場に供給し、家はその必要とするものを市場で獲得する。（すなわち〕生産物は商品になるのである。商品が生産される場所から消費経済に到達するまでに通過しなければならない途は、しだいしだいに長くなるのであつて、この途が長くなることは交通業および商業の領域をも拡大する。かくて、財貨の生産は作業場において、財貨の流通は商業において、そして財貨の消費のみが家において行われるということは、現在においては、すくなくとも一般的には正当である。現代の経済的諸団体の法的秩序もまたこの三つに分類されなければならない。

団体における人間集団、経済的基礎および法律的形式

あらゆる経済的団体においては、三つのことが区別されなければならない。すなわち、〔第一に〕生産しあるいは消費する人間の集団、つぎに経済の物的基礎、すなわち、生産手段と原料であり、最後に人間集団がそのすべての団体生活のために裁判所と国家の官庁の保護を受けるところの法律的形式である。この三つの側面から、社会の経済的構造とその法律的形式との関連の概略を述べることが許されるであろう。

農夫は、彼が妻子や僕婢と一緒に経営する農場で、穀物や果実を栽培し、牛や羊を飼養する。それがこの団体の経済的な内容である。その法律的形式は、農場の所有権、物的利用権または賃貸借関係、家族の成員を結びつける家族法、僕婢を農場に縛りつける雇傭契約である。大土地所有者は、彼の農地の一部分をみずから経営し、他の一部分はこれを小作させるか、または利用権者に貸与する。この大土地所有者の経済的組織のなかにその法律的形式もまた含まれているのであつて、所有権、賃貸借および物権的利用権がすなわちこれである。手工業者は、職人や徒弟とともに、賃借した仕事場で、自分の材料と自分の道具をつかつて仕事をする。仕事場の賃借権、道具と材料の所有権、職人との賃銀契約および徒弟契約は、手工業経営の法律的形式とその経済的内容とを同時に特徴づける。株式会社は、その工場から市場へ巨大な価値を投げだす。株式会社の取締役と監査役、株主と株主総会、多くの職員と労働者、工場の建物、機械、動力源、原料および商品の所有権と賃貸借関係。これらすべては、工場企業の経済的秩序であり、その秩序は、会社設立行為のなかに、無数の物権諸関係のなかに、また職員・労働者・賃貸人との無数の契約諸関係のなかに、反映する。

他の経済的諸団体、すなわち、大商店・銀行および家という消費団体について論及しても、結果はまつたく同様である。団体は、大商店と銀行においては工場におけると同様に、営業主、契約によつて企業家に義務を負うている使用人・傭人からなりたつている。しかし、ここでは、賃銀契約のほかに、他種の数多くの問屋契約と委任とがあらわれる。大商店と銀行の秩序は、工場の秩序よりもはるかに多く外に向けられているのであつて、工場では見られないようないろいろの委任諸関係が、個々の使用人との雇傭契約に附随するのである。物質的な基礎は、ここでは店舗と倉庫の所有権または賃借権という法律的形式のなかに、また商品と金銭の所有権という法律的形式のなかに、あらわれる。最後に家族および家という消費団体は、家族の成員のほかに僕婢をも包含する。その物的な基礎は、住居の賃借権と、台所・地下室および倉料品置場における消費財の所有権とによつて組みたてられる。

契約法の社会的関連

家族における家族法、工場・仕事場・大商店および銀行における雇傭契約・賃銀契約・使用契約は、社団においては定款が、国家・組合・教会においては公法上の雇傭関係が果すのとまつたく同じことを、ここでは行うのである。これらの家族法や諸契約は、この経済的諸団体の中に集合する人間集団の内部秩序を実現する。しかし、同様のことは、単に雇傭契約・賃銀契約・使用契約についてあてはまるだけでなく、他のあらゆる種類の契約、とくに交換契約・使用供給契約（使用賃貸借契約・用益賃貸借契約および使用貸借）[七〇] Gebrauchsbeschaffungs-verträge（Miet- und Pachtvertrag und Leihe）および信用契約についてもあてはまる。これらすべての契約の組織化的性質は、通常純粋に法律実務上の目的のために行われているように、契約を締結する両当事者が観察されるばかりでなく、相互に通常の平和的な財貨交換によつてむすびつけられているひとたちの全サークルが観察される場合には、ただちに明瞭にあらわれる。このサークルにおけるすべてのひとは、使用される諸財貨を生産し、必要な労務を提供し、かくて相互に財貨と労務を供給するところの経済的団体を構成する。この団体においては、すべての個々人に対して、その地位、上位・下位関係――この関係は、いうまでもなく大抵は非常に未発達ではあるが――およびその任務が、彼によつて締結されまたは締結されるべき諸契約によつて規定される。商取引において諸契約は、すくなくとも代替的給付については、始めから一定のひとびとに対して締結されるのではなく、財貨交換関係にたつ全サークルにたいして締結される。この点に、指図・裏書・割引の意味、またある部分までは無記名証券の意味もまた存するのである。

契約は単に個人的意思の流出ではない　契約の社会的性質は、信用取引においてもつとも明白にあらわれる。あらゆる信用取引は、社会に存在している財貨の貯えによつて制約されている。人類がさしあたり必要とするだけのものを生産するかぎり、すなわち、原始的発展段階においてつねに見られるように人類がただ手から口へという生活をしているかぎりは、信用取引なるものは存在しない。すでに自然経済においても隣人に種子を融通する農夫は、彼が直接に必要とする以上のものを収穫していなければならない。すなわち、彼は、貯えをもたなければならないのである。現代社会においては、貯えは貨幣形態をとる。自分自身の必要以上に経済的財貨を生産した者は、それを売却し、その代りに貨幣をうけとる。もし彼が貨幣を支出するとすれば、彼はその金で、使用するために他の財貨を購求するのであつて、また彼が貨幣をじつと手のなかにもつている場合には、諸財貨の価値は、金額に応じて国民経済のどこかに消費されることなく存在しなければならない。もし代金が売主によつて信用貸されるとすれば、このことは、売主が当分の間これらの諸財貨の価値の代りに他の財貨を購求しないであろうということ、したがつて、この価値がさしあたり国民経済において消費されないでいるだろうということを意味する。このゆえに、ある金額が信用貸されるごとに、ある経済体のなかにある・財貨の貯えの価値が、他の経済体のために処分される。そして、あらゆる信用取引においては、信用を求める者がおそらくは求めるであろうようなものに対して、それに相当する貯えが社会において見いだされるかどうか、という問題が同時に解決されるのである。信用取引は、かくてつねに社会的に制約されている。もつとも高度に発達した国民経済においては、ひとはすべて、すぐには使わない金を銀行にもつてゆく。このようにして、個々の経済体が他の経済体の目的のために節約する貯えのもつとも大きな部分が、貨幣形態をとつて銀行に集積される。銀行は、かくてそれを個々の経済体のために処分することによつて、実際に財貨の社会的な生産・流通・消費の統制を維持し、銀行の勘定は、しだいに経済的経営の発生・拡張および存続の基礎になるのである。

契約の締結と内容は社会的に規定されている

契約は、したがつて、国民経済のなかに存在する諸財貨と人の能力(労務)との分配と利用に対する法律的形式である。単に契約の締結のみではなく、契約の内容もまた社会的な関連から生ずる。日常生活の普通の諸契約のなかから何かあるひとつの契約をとりだしてみる場合、社会的秩序と経済・商業および取引の組織によつて与えられている部分がその契約のなかでいかに重要な地位を占めているかということを確めるためには、何がその契約によつて独特なものであるか、これに対してなにが社会的秩序と経済・商業および取引の組織によつてその契約に与えられているか、という問題を提出するだけで、おそらく充分だろう。もしわれわれが、今日衣食住に対する欲求を、日常の売買契約・賃貸借契約および請負契約によつて充たすことができるとすれば、われわれはこのことをただ次のような事実、すなわち、われわれの生活する社会では商業と財貨生産がこのような欲望充足を可能にするほど〈充分に〉存在するのだという事実、に負うているのである。五百年前には、たしかに、そのようなことはどこにもなかつたのであり、今日でもなお、そのようなことがまつたく行われない地方が充分多く存在するのである。貸家が一軒もない山村では住居を借りることはできず、食料品や衣料品が商業によつて売りだされないところでは食料品や衣料品を日々手にいれることはできず、賃銀のためになされない労務に対しては人を傭うことができない。このことは、いうまでもなく、単に契約対象についてあてはまるだけではなく、あらゆる個々の契約条項についてもあてはまる。契約を一々こまかく吟味してみよ、そうすれば、われわれは、契約がなぜそのように書かれ、違つたふうには書かれないかということとの社会的な根拠――あるいは、それが両当事者の一方の社会的または経済的優越であるにせよ、あるいは、それが市場の状況または営業部門の取引慣習であるにせよ――をまつたく容易に見いだすであろう。

住所を変えたひとは、自分がいまや毎日、以前とはまつたくちがつた諸契約を締結するということに、すぐに気がつくだろう。彼は、なお自分の生活の仕方を何ひとつ変えないという意思を非常に強くもつかもしれない。けれども、彼のまわりの世界は他の世界になつてしまつた。そして、彼は、その契約意思においてもまた、それに順応しなければならないのである。イギリスでは、大てい部屋は賃借されないで家屋全体が賃借され、肉は、イギリスの田舎町では、毎日肉屋で買わずに毎週家にとどけられる。このことは、賃貸借契約と肉の購入契約が、法の規則はともかくとして、大陸におけるのとはまつたくちがつた内容をもつことを意味する。ここでは、わざと小さな取引の諸契約から出発した。というのは、これらの諸契約において、個々の場合に特有な性質がもつともはつきりあらわれるからである。大商業と工業の諸契約がただ市場の一般的な諸関係の表現であり、経済領域の特別の必要の表現にすぎない、ということについては、すでにしばしば充分にのべたとおりである。大部分の文書の諸契約は、一定の書式にしたがつて締結され、その内容は、しばしば、当事者にはまつたく知らされない。その契約の内容は、個人的意思からは独立して、まさに社会的にあたえられているのである。このことは、いうまでもなく、一定の書式に書きこまれた少数の特殊化的な事項でも同時に内容的には社会的諸関連から生ずるという事実を排斥するものではない。

個々の契約は、ほとんど、個人的な当事者意思の単なる流出ではないのであつて、それは、オーストリヤ学派(七一)の国民経済学者たちが財貨取引の主要な契約のもつとも重要な部分、すなわち、代金を、もつぱらその社会的・経済的諸前提から算出しようと企てることができたのと異るところはない。そして、著名な国民経済学者ワルラス(七二) Walras は、そればかりでなく代金を数学的公式に還元しようとする試みに成功した。この研究の結論は、おそらくすべて、すくなくとも、反対給付が貨幣で表現されるような交換契約、すなわち、労働協約・賃貸借契約および請負契約について直接にあてはまる。たとえその他の契約内容に対しても数学的公式をたてることがほとんど不可能だとしても、その原因は、ただ計算の諸要素が数えきれないという点に存するのであつて、課題が根本的に解決不能であるという点に存するのではない。

契約の社会的任務

契約の社会的性質は、しかし、契約が社会的目的に奉仕しなければならない、ということの表現にすぎない。契約は、土地、労働手段および消費材の私所有権の上に組みたてられている市民社会において、財貨の生産・流通・消費を規律し秩序づけるために、すべてその無限の諸形態をとつて存在する。組合契約、または、それによく似ている社団設立行為は、所有権、物権、おそらくはまた、使用供給契約(使用賃貸借・用益賃貸借・使用貸借)によつて構成された物的基礎にもとずいて、多くの企業家を結合して組合または社団をつくる。そして、労働契約と雇傭契約は、農場および工場の使用人と労働者の大群を結合するのであつて、いろいろの交換契約は、農業と工業の生産物を商業の媒介によつて、それらが使用される場所にもつてゆくのである。信用契約は、さしあたり個々の経済体の目的のために使うことのできる資本を個々の経済体に供給する。個別経済・国民経済および世界経済という重なりあつたこの巨大な機構においては、そのなかで生産的に活動するすべての人間は、なにかある一つの小さなバネとか、小輪とか、ネジとかを意味する。けれども、この機構のなかでしめる彼の地位と任務は、大体において、彼によつて締結された諸契約の全体によつて指定されるのである。

相続法の社会的制約

近代の大陸の相続法ほど、その組織化的な意味を法律学によつて根本的に誤解され、無慈悲にも畸形化され、悲惨に虐待された法の領域は、ほかにはない。文献上の記述を読み、法典を研究し、判例集を研究するならば、ひとは、往々にして、相続法とは富籤の当りのようなものだ、と思うかもしれない。(七三) 孤児の役割は条文がひきうけるのであつて、そのへんてこな文章を通じて、神秘的な運命の女神が、不可思議な神意にしたがつて、幸運者に目をつぶつたまま女神の贈物を分配するのである。禍は、いうまでもなく、いたるところで非常に早くから始まつた。当時の社会状態を、現在でもなおほとんど苦もなく推定するための材料となるところの十二表法の相続法とドイツ法書の相続法との明白な輪郭は、それが通用した社会が消え去つたのちには、あらゆる意味を失い、あらゆる理解を失つた。その間に、新しい秩序が生じた。しかし、注目すべきことには、ローマにおいても、わが国においても、新秩序は、それに適合した相続法のための、はつきりと区ぎられた・一般に通用する法規を見いだすことができなかつた。新秩序が侵入した多くの部分では、その秩序は、しばしば困難な破壊の仕事をなしとげたのではあるが、しかし、維持する価値のあるようなものは、ほとんどどこでも造りあげなかつた。このようにして、ほとんどすべてのことは、個々人の用意に任されている。遺言の表示、家憲、祖先の約束と洞察pactum et providentia maiorum、夫婦財産契約、両親の財産分与、生前の財産譲渡、裁判外の共同相続財産の分割が、問題の解決にあたらなければならない。これが今日の相続法の混乱状態である。すなわち、それは、ずつと昔からの腐朽した若干の残存物であり、加うるに若干のつぎはぎ細工が、きれぎれにそして考えなしに、それにつけ加えられたものである。だから、おもな部分は予防法学(七四) Kautelarjurisprudenz がつくりださなければならないのであつて、この予防法学なるものは、少数のひとによつてしか注目されず何びとによつても尊重されなかつたが、しかし、この混乱のなかで実生活のために歩行のできる途を切り開くという、困難ではあるが実り多き仕事を引きうけたのである。

ここではただ、すべての相続法の昔からの大きな組織化的な大綱を大ざつぱに素描するにとどめて差支えあるまい。家長、すなわち、家族員にパンと部分的には活動範囲をもあたえるところの・

すべての家族の事業の中心が、死亡したとする。かれの仕事は、どうして継続したらよいか。かれの精神が活動をあたえ、かれの強い腕が統一してきたところのすべてのことは、どうすればよいのか。あらゆる経済的企業はひとつの団体である。たとえば、農場・工場・商店・鉱山はそうである。この団体のなかでは、単に人間ばかりではなく物もまた秩序づけられ規律されているのであって、すべてのものは、企業の経済的目的にもつともよく奉仕できるように、ひとつの全体に結合されている。もしこれらのものがばらばらにされたり「観念的」部分に細分されたりしたら、これらのものは、たかだか破片の価値を保持するにすぎないのであつて、この上なく貴重な財宝は、それと同時に単に遺族からだけではなく国民経済からもまた永遠に失われてしまうのである。およそ法律家は別として、このことに関係したひとはだれでも、このことが、充分に仕事をして生涯を送つたのちに自分の死後のことを考える・あらゆる働きのあるひとびとの心配の種であるということを、おそらく、見のがさないだろう。団体の構成部分をばらばらにしないようにし、自分がつくつたあらゆる経済体において適当なひとが適当な地位をしめ、その地位と任務がそのひとに適当に割りあてられるようにするには、どうしたらよいか。いまや、ひとは、事件がかれの死後法律家の手中に落ちるときにはどういう外貌を呈するにいたるか、すべてのこと、すなわち、法典・弁護士・公証人および裁判官のあらゆる法律的「やりすぎ」πολυπραγματεία がいかにかれの意に反する結果をうむか、いかにたゆまざる熱心さをもつてかれの計画が妨害され、あらゆる無知と悪意に破壊の武器が引き渡されるか、ということを経験したに相違ない。しかし、これらすべてのことも、遺言の表示が欠けている場合に行われ、あるいは、さらに被後見人に対する監督が裁判所に高度の権力手段をあたえる場合に行われる・非常に根本的な仕事にくらべれば、まつたく取るに足らないのである。たしかに、過去にひとがあらかじめ用意した場合、すなわち、統治者の家、貴族、農民階級の相続法では、往々いうまでもなく法律家の激しい抵抗にもかかわらず、多くのものが維持され、再興されている。しかし、生活力のある苗木は稀であり、見込みのない残存物はいつそう沢山にある。ひとびとは、近代生活のいろいろに変形する独特の要求に応ずるような相続法をつくるという課題を、ただぼんやりと考える程度に意識するようになつたにすぎない。これに対する前提は、現在、ほとんどまつたく欠けているのである。まず最初の仕事は、学問がやるべきであろう。すなわち、さしあたつて、遺言、両親の財産分与、生前の財産譲渡、共同相続財産の分割のなかに含まれているすべての生ける法が研究され、その指導的な考えが何であるかが検討されなければならないであろう。スイス民法典のなかで、それに関するなにものかが、もつとも容易に見いだされる。

すべての私法は団体法である

法は社会的諸団体の内部秩序であるから、その内容は、絶対的必然性をもつて、諸団体の構成とその経済様式から生ずる。社会および経済におけるあらゆる変化は、したがつて、法における変化を生ぜしめるのであつて、経済と社会における変化を生ずることとなくしては、両者の法的基礎を変更することは不可能である。法の変更が勝手気ままであり、経済がそれに適応することができないような場合には、まさに経済の秩序は、とり返しのつかないように破壊されてしまう。農民が、単に自分自身のためばかりではなく、社会の他の階級にも原料を供給するために、その必要とする財貨をかれの耕地で生産することができるのは、ただ法秩序が農民の労働収益をすくなくとも大部分農民にあたえるからにほかならない。したがつて、もし万一、国家を専制的に支配する一階級が、農民の全収穫物を自分たちに引き渡すことを強制するような法秩序を、農民にむりやりに押しつけようとするならば、農場は荒廃し、国家の権力者にとつて、国家を維持しかれら自身の経済的地位を守るための方法も、まもなく消滅するであろう。したがつて、外国の侵略者といえども、つねに、農民を農奴と小作人に変形することをもつて満足し、すくなくとも、農民たちが彼らの農場経営を継続するために絶対的に必要とする財産と労働収穫物は、つねに農民たちにのこしておいたのである。

すべての権利は「社会的権利」である

このようにして、すべての私法は、それが組織化的内容をもつかぎり、国法や団体法とまつたく同じ意味で、社会法である。私法の対象は、常に、人間の諸共同体である。私法は、働いている人間集団のなかに個人の地位を規定し、人間集団とその道具との関係を規定する。国法や団体法と同じく、私法もまた、まず第一に諸団体をつくるのであつて、個個の権利義務をつくるのではない。たとえ組織化された共同体のなかで、個人にとつても「個人的領域」が生ずるとしても、その「個人的領域」は、私法においても公法や団体法におけると同じく組織の反射作用としてあらわれる。この場合、団体は憲法や定款にもとずくものでなく、物権法・契約・家族秩序にもとずくものである、という事実のために、われわれは、この偉大な真理を見失うようなことがあつてはならない。なぜならば、物権法・契約・家族秩序は、この場合あきらかに、他の法の領域で憲法や定款が行つているのと同じことを、しとげているからである。おそらく、遁世者は、単に法律的意味においてのみならず、社会学的および経済的意味においても、真の「個人的領域」をもつであろう。けれども、人間の間で生活するひとは、そうはいかない。経済的・社会学的意味における個人の権利は、経済的に重要でない使用財・消費財、たとえば、衣服・装身具・紙入れ・書簡箋については、おそらく存在している。けれども、まつたく孤独の男女をのぞいて考えると、住居についてはすでに家族の共同使用が行われている。そして、本当の個人的権利といえども、すくなくとも共有牧場の共同利用に対する組合員の請求権や書籍・雑誌に対する読書クラブ会員の請求権のごとく、同時に社会的権利なのである。これらの物の所有を個人に保証し、これらの物をまつたく勝手気ままに処分することを個人個人に任せることによつて、社会は、これらの物の使用と消費を規律する。社会が個人に許容する所有権は、単にこのような社会的秩序の所産にすぎない。個人は規律された共同体の成員として所有権をもつのであつて、その共同体は、ある種の物についてはそれがいかに利用されるかに関係なく、その所有権を尊重し保護するのである。人間の共同体は、個人的の使用と消費を今日行われているのとは異つたふうに、そして、いつそうこまごまと規律することができるだろうということを、われわれは、今日すでに迫つてきている天然資源の涸渇がさらに焦眉の急に迫るやいなや、おそらくはわれわれが好むよりもいつそう早く、確信するにいたるであろう。社会が、実際に、個人に「個人的領域」をあたえるところでは、社会は、原則としてあらゆる干渉をさし控える。このように、成長した人間の内的生活は、かれの「個人的領域」である。したがつて、それは、芸術・宗教および哲学に属するのであつて、法や法以外の社会的規範に属するのではない。

第二の秩序が社会的法秩序に連結する　人間社会の法的諸団体は、したがつて、大体においてつぎのごときものである。すなわち、官庁を伴える国家、家族と他の団体——法人格をもち、またはもたない組合や共同体——、契約および相続によつて作られた諸団体、さらに、とくに国民経済や世界経済。社会学的考察のもとではある程度交換概念として妥当する占有と所有や、物権的および債権的請求権は、これら諸団体の内部秩序を作りだす。これが、現代社会の政治的・精神的・経済的・社交的生活の秩序の中で法がうけもつ部分である。いうまでもなく、法の内容全体が、これで尽されるわけではないが、法のうちで、直接に規律し秩序づける意味をもつもののすべてである。しかし、このほかに、直接に諸団体を規律し秩序づけるのでなくただ攻撃に対して保護を与えるにすぎないような法も、存在するのであって、この法は、第二種の秩序として、社会的諸団体に結びついている。この法は、諸団体を支え強固にするのではあるが、諸団体を形成するのではない。このことは、裁判所や他の諸官庁における手続法にあてはまる。なぜなら、手続法は、社会的諸制度を防護することを仕事としている諸官庁の秩序の一部分にすぎないからである。それは、社会に対して、直接の影響を及ぼすものではない。同様のことは、刑法についてもあてはまる。なぜなら、刑法は、いかなる社会的制度をも作りだすものではなく、単に、すでに社会に存在している諸財貨やすでに社会に行われている諸制度を、保護するにすぎないからである。このことは、結局、権利保護に関係するにすぎないような実体的私法のあらゆる規定にあてはまる。これらの諸法規は、刑法とまったく同様に、諸財貨や社会的諸制度を作りだすのではなく、すでに存在している財貨や制度についての、裁判所や官庁による保護を、規律するにすぎない。これらの諸規範は、社会的諸団体そのものの中に内部規範として存在するのではなく、法律家法や国家法の中に生じたものである。すべての独占権、とくに独占取引権（七五） Bannrecht や著作権は、もっぱら国家的な権利である。これらの権利は、権利者以外の・国家意思に服するすべてのひとに対してむけられた、一定の範囲内で活動せよという禁止を、その本質としている。同種の諸規範は、そのほかしばしば法律家法からも発生した。

団体の内部秩序としての法以外の諸規範

われわれは、最後にここで、今までほとんど何らの考察も払わなかった・諸団体の内部秩序に関する法以外の諸規範の意義を、指摘しなければならない。法的制度がもっぱら法規範にもとずいている、というのは正しくない。道徳・宗教・習俗・良風美俗・常識、いやそればかりか、礼儀作法や流行すらも、単に法以外の諸関係を秩序づけるのみではなく、それらは、一歩一歩法の領域にも侵入してゆくのである。いかなる法的諸団体といえども、もっぱら法規範によるのみでは、存続してゆくことはできないであろう。法的諸団体は、その力を倍加し補充するところの・法以外の諸規範の支持をつねに必要とする。あらゆる種類の社会的諸規範の共働が、はじめて、われわれに社会機構の完全な姿をあたえるのである。

このことを理解するには、つね日頃われわれの周りに起りつつあるすべてのことを、一目みれば充分である。いかなる国家においても、もっぱら法だけを頼りにして身をささえているような政府は、長く存在することはできないであろう。マキァヴェリ Machiavelli でさえも、かれの「君主論」(七六)のなかで、道徳・宗教・習俗および名誉・良風美俗と常識の一定の諸原則をすくなくとも表面的には守るべきことを、かれの君主に勧めたのである。あらゆる官庁に対して法が唯一の規矩準縄になるとすれば、どんな官庁でも、その機能を発揮することはできないだろう。官吏にとっては、同僚または外部との交渉において、単に法規範を頼りにするだけではなく、道徳・習俗・名誉・良風美俗・常識の命令を考えにいれることが、まさに職務上の義務である。公生活の諸制度のなかでは、たしかに軍隊ほど多く組織化的法規範によって規律されているようなものは、ほかにはない。しかし、このように高度に完成された法ですらも、充分ではないのである。われわれは、まさに軍隊において、道徳・習俗・宗教・名誉・良風美俗・常識の組織化的価値、いやそればかりか、礼儀作法や流行の組織化的価値すらも、いかに高く評価されるかを知っている。実際に、過去の例は、法規範以外の何物もしらない軍隊は、単に社会の外にたっている・野蛮な軍規によって結合された烏合の衆になりうるにすぎない、ことを示している。おそらくすべての文明諸国民にしられている言葉、すなわち、議会の礼儀 Parlamentarischer Anstand という言葉は、公的な議会における法以外の諸規範の役割を、充分に表示している。議会においては、法以外の諸規範が、習俗規律としても、もっとも早く科学的研究の対象になったのである。

家族法や財産法でも、これとちがうことがあろうか。家族員が相互に対立して法の立場を固守するような家族は、多くの場合、社会的・経済的団体としては、すでに崩壊している。すなわち、か(七七)れらが裁判官に訴えるときには、かれらは、すでに分解しているのである。権利濫用（シカーネ）

の禁止は、物権でさえも法以外の諸規範を考えにいれることなしには行使してはならない、ということを示している。そして、土地および住居の相隣関係においては、道徳・習俗・良風美俗・常識および礼儀作法を普通行われているように顧慮することが、なお一そう要求される。契約は、信義誠実が要求しまた取引慣行の顧慮が要求するように、解釈され、履行されなければならない。このように、法的規律以外に、また契約の文面以外に、なお他の多くのことがここで考えにいれられるのである。

法生活に対する法以外の諸規範の意義

それにもかかわらず、実生活は、もっとも寛容な裁判官が信義誠実および取引慣行にもとずいて許容するよりも、はるかに多くのものを要求する。およそ、契約関係のうちで、大都市の使用賃貸借ほどその法以外の内容が徹底的に剝ぎとられている契約関係は、おそらく、ほかにはないだろう。それにもかかわらず、この関係においてすら、「よき家主」der „anständige Hausherr“ と「よき当事者」die „anständige Partei“ が、非常に高く評価される。この二つの言葉は、ウィーンにおいて、よく使われる言葉である。しかし、問題そのものは、疑いもなく、いたるところにある。どんな種類の賃貸借契約においても、契約内容よりも、両当事者の個人的な性質の方が、しばしば、はるかに重要なのである。老練な事務家は、相手方の個人的な性質を詳細に問い合せることなしには、賃貸借契約を締結しない。というわけは、賃貸借関係において普通に行われている法以外の諸規範をも相手方が固く守るであろう、というかれの期待を、相手方の個人的性質というもので保証させようとするからである。雇傭契約および賃銀契約において、法以外の諸規範の組織化的意味は、とくに明瞭にあらわれる。企業家、および、おそらくは企業家の代理人においても、権利にたいする確乎たる主張と道徳・習俗・良風美俗・名誉・常識にたいする感情との一定の混合が、一般に、「組織者の才能」とよばれる能力のおもな部分を形づくる。もしこの才能が欠ける場合には、契約は、労働者および使用人にとつても、無価値なものである。他方、いかなる企業家といえども、法的な立場しか知らないようなひとびととは、一緒に働くことはできないであろう。このようなひとびとは、またお互に仲よく暮すことはできず、企業は「解体」するにいたるであろう。信用契約の内容への法以外の諸規範の影響は、もつとも早く、もつとも明瞭に承認された。すなわち、法以外の諸規範が、道徳的に非難の余地のない投資と、道徳的にはつねに厳禁され・原則として法的にも厳禁された高利とを区別する。たとえ、商人間の取引において、表面上つねに商人的な厳格さが支配するにしても、「すぐに条文をもつてくる」ような商人は、早速にかれの顧客や取引先と疎遠になるだろう。「商人的な習俗」・「商人的な名誉」・「商人的な作法」は、商人的な法生活の要素を構成するのであつて、その全体は、「愛想よきこと」 Kulanz と名づけられる。支配的な性道徳が幾多のすぐれたひとびとからさえ激しく攻撃されるような時代には、従来の家族秩序がその性道徳にもとずいているのだ、ということに注意を喚起することは、おそらく、まつたくの無駄とはいえないであろう。もしも、しばしば、なかなかに的をはずさぬこの攻撃の背後になにものかが潜んでいるとすれば、それは、新しい家族秩序が、この攻撃によつて準備されるのだ、という考えのほかには存しえないのである。というのは、それなくしては家族は存在することができないような・性道徳に関する現在の観念を放棄しておきながら、家族は現在の形態において維持することができるだろう、と考えるのは、まことに馬鹿げていることだからである。

法は、したがつて、国家的・社会的・精神的および経済的生活の秩序であるといえる。しかし、法は、いかなる場合にも、その唯一の秩序ではない。法には、なお多くの他のものが、同じような価値をもつて、大量に、そして、おそらくはいつそう効果的に並行する。実際に、実生活が法以外の何ものによつても規律されないとすれば、実生活は地獄になつてしまうにちがいない。たしかに、法以外の諸規範をだれもが犯さないで守るというようなことはないが、しかし、同様のことは、法規範についても同じ程度にあてはまるのである。社会機構の秩序はたえず攪乱される。しかし、たとえ社会という機械がきしり呻きながら仕事をするにしても、大切なのは、社会という機械が動きつづけている、ということである。そのかぎりにおいて、すくなくともそのかぎりで社会の諸規範は考えにいれられなくてはならず、またそのかぎりで、社会の諸規範は、秩序づけられた生活がかなりの程度行われているあらゆる地方においても、尊重されるのである。このようにして結局、現存秩序の侵害は、しばしば単なる時間的あるいは場所的な無秩序にとどまらず、それは、しばしば新しい発展時代の夜明けをも意味するのである。

社会主義的社会の秩序と現代社会の秩序との比較

われわれは、現代社会とその法秩序とを、いろいろな社会主義者たちがしばしば描いているところの・社会主義的社会とその法秩序に、少しばかり比較してみよう。両者は、いわば、人類が生存しその力を拡張するために必要とする諸財貨を供給するところの巨大な起重機としてあらわれる。社会主義的社会においても、われわれの社会におけると同じく、諸財貨を生産する農業経営・鉱山および工場がなければならないだろう。また、われわれの社会の倉庫や商店のような・需要が生ずるまで諸財貨を貯蔵しておかなければならぬ大倉庫や商品置場に、諸財貨を引き渡す役目をするところの運送手段――われわれの社会の鉄道や汽船や車のような――も必要であろう。最後に、諸財貨が直接の消費のために調整される小さな経済体、たとえば、現在みられる手工業者の仕事場や調理場および家経済のような小経済体も、なくてはならないであろう。社会主義的社会においても農業経営・鉱山・工場においていたるところ、また運送施設においても、倉庫や商品置場においても、財貨にたいする人類の大きな需要をみたし財貨をしかるべき場所にはこび財貨を分配するために、無数の勤勉な手が働くであろう。しかし、これらすべてのものの上に、すべての財貨の需要をはじめから見つもり・その生産を按排し・労働力に作業場にゆくことを命じ・そして生産物を消費の場所にもつてゆく・全知の、かつ、あらゆるものを見わたす官庁が君臨するであろう。いうまでもなく、現在の社会は、このような官庁をもつていない。けれども、社会主義的社会においてこの全能の・はるかに人間の尺度を超えている官庁がなしとげるようなものを、現代社会においては、法が、自働的に、家族秩序・所有権・契約・相続法のような簡単な方法によつて、あたえるのである。所有者は、企業者として作業場・運送施設・倉庫および商店を組織し、そこで、賃銀契約および雇傭契約によつて労働力を集め、信用契約によつて営業用器具を調達する。商人は、商品に対する人々の予測される需要を見つもり、交換契約によつて商品を消費の場所へもつてゆく。これらすべてのことは、たしかに、重大な欠陥・摩擦・矛盾なくして行われるというわけではない。けれども、もつともよい・純粋に官僚的な官庁が行うよりは、たしかに、ずつと円滑に、そして、よりすくない労力の消費をもつて行われるのである。社会主義社会においては官僚的官庁の無限の網が行わなければならないようなことを、現代社会においては、占有・所有権・物権・契約・相続が、さらに消費に対しては家族もまた、ほとんど自働的に行うのである。

四　社会的な規範強制と国家的な規範強制

団体における秩序　いろいろな根源を究めるという当世流行の学説は、法規範の根源、ときにはまた他の社会的諸規範の根源、とくに道徳の根源を、自分たちの利益のためにそれらの規範を設定しかつ維持するところの・社会の指導階級の権力によつて説明しようとする。しかし、人間に対する権力は、人間を諸団体内部で結合させ彼らに団体内部での行為の規則を定めること、すなわち、人間を組織化することによつてのみ、永続的に維持され、実行される。このように理解するときには、この学説は、社会的諸規範は人間諸団体における秩序にほかならぬという・この本で述べた〈わたくしの〉学説と一致するものと思われる。しかしながら、もし、諸団体の指導階級がその団体の他の所属員に対する行為の諸規則を、もつぱら、彼ら自身の「利益」にしたがつて定めるのである、という主張がなされるならば、その主張は、無内容か、もしくは、間違つている。人間は、つねに、自分自身の利益にしたがつて行動する。だから、人間の行動を動機づける諸利益を漏れなく挙げることができるなら、単に規範強制の問題だけではなく、およそ社会科学の他の問題もすべて解決できるだろう。〈しかし、このようなことは不可能であるから、前述の主張は無内容ということになる。また〕人間諸団体における指導階級の利益が団体全体の利益と衝突し、団体の他の成員の利益と衝突するというのは、まつたく間違つている。ある程度までは、指導階級の利益は団体全体の利益と一致し、あるいは、すくなくとも団体成員の多数の利益と一致しているはずである。もしそうでないとしたら、他の成員は、指導階級の定める規範に従わないだろうから。すくなくとも、目標を達成すればすべての人の利益になるだろうという漠然たる感じを誰もがもつようにしなければ、その目的のために大衆の支持を獲得することは、ほとんど覚つかないであろう。そして、そういう感じというものは、何の根拠もないわけではない。団体内の秩序は、抽象的に考えれば、よくないものである場合があろう。すなわち、おそらく、指導者に不当な利益をあたえ、他のひとびとに重荷を課する。だが、それでも、秩序がまつたくないよりは、つねにいくらかはましなのである。よりよい秩序が現在存在していないということは、つねに、社会がそのあたえられた精神的・道徳的状態とその経済的貯えのもとにおいては、よりよい秩序をつくることが不可能であつた、ということの動かすことのできない証拠である。

社会的な規範強制

かくて、問題は、社会的諸団体がその諸団体に属する個々人に対し何によつてその規範を遵守させるか、という点である。たしかに、ひとは刑法を怖れるためにのみ他人の所有権を犯さず、執達吏に嚇かされるからその負債を支払うのだ、という広く流布されている学説ほど非心理学的なものはない。たとえあらゆる刑法がその力を失つたとしても――そのような場合は、しばしば、戦争や内乱の際に一時的に生ずるのであるが――、殺人・強盗・窃盗や掠奪に関係するのは、つねに、人口のごく僅かの部分にすぎない。そして、平和な時代には、大多数の人間は、強制執行者を考えることなしに、その引き受けた義務を履行するではないか。もちろん、この事実からは、大多数の人間が内的衝動によつてのみ規範にしたがうのだ、というような結論は導きだされない。けれども、刑罰や強制執行に対する怖れが、人間をこのように行動させる唯一のものであるわけではない、という結論は導きだされる。違反者に対して刑罰も強制執行も課しはしないが、しかもそれだからとてやはり効力がないわけではないような社会的諸規範が充分多く存在する、という事実からまつたく眼を覆うにしても。

強制は法規範の特性ではない。習俗・道徳・宗教・常識・良風美俗・礼儀作法および流行の諸規範は、もしそれから何の強制も生じないとしたら、まつたく何の意味ももたないだろう。これらの規範もまた人間諸団体の秩序であり、そして、団体に属する個々人を強制してこの秩序にしたがわせることをその任務としているのである。ところで、規範強制というものはすべて、個人は現実には決して「孤立人」ではない、という事実にもとずいている。個人は、一連の諸団体のなかに組みこまれ、編みこまれ、埋めこまれ、打ちこまれているので、彼にとつてこれらの団体の外で生存することは耐えがたく、そればかりでなく、しばしば、不可能ですらあるのである。ここでは、情緒的および感情的な生活の基礎的な事実が問題である。世界中いたるところで間違いなく多数を構成するありきたりの凡人の精神上の欲求は、いうまでもなく、過大評価されてはならないが、それにもかかわらず、祖国・故郷・宗教団体・家族・友人仲間・社会的諸関係・政党への所属ということは、何びとにとつても単なる言葉ではない。大多数の人間は、上に挙げたもののどれかを容易に無視してしまうことができるかもしれないが、しかし、彼らの全身全霊をもつて執着するような仲間をもたないひとは、たしかに、ごく僅かしかいないはずだ。すべてのひとは、彼の仲間のうちに、困窮の救助、不幸の慰藉、道徳的な支柱、社会的な交際、承認、尊敬、名誉を求める。要するに、彼の仲間は、彼が生涯重きをおくをつねとするすべてのものを与えるのである。しかし、これら諸団体のもつ意味は、この道徳的な価値高きものにかぎられているわけではない。というのは、諸団体は、職業と営利の結果をも決定するものだからである。他面、職業と営利は、われわれを、ふたたび、多数の職業および営利団体と関係させる。

規範強制は社会的諸団体から生ずる

したがつて、われわれはすべて、無数の・多かれ少かれ緊密な・しかし時にはまつたくルーズな共同体のなかに生活する。そして、われわれの人間的な運命は、主として、われわれがそれら諸共同体のなかでいかなる地位を獲得することができるか、ということにかかつている。そこでは、いうまでもなく、給付と反対給付とが対立せざるをえない。諸共同体は、その成員たるすべての個々人が同時に彼らの側から与えないかぎり、彼らに何物かを提供することは不可能である。そして、事実、これらすべての共同体――それらは、あるいは組織化され、あるいは組織化されておらず、祖国・故郷・住所・宗教団体・家族・友人仲間・交際・政党・営利団体とか顧客とか呼ばれているが――は、それらがわれわれのために給付したものの代償として、何物かを要求する。そして、この共同体のなかで支配する社会的諸規範は、諸共同体が個々人に対してもつ要求の一般的な沈澱物にほかならない。彼の仲間のうしろだてを頼りにしているもの――だれがそうでないものがあろうか――は、したがつて、すくなくとも大体においては仲間の規範に従うほうがとくである。違反者はだれでも、彼の行為が彼の仲間との結合を弛めるだろう、ということを計算にいれなければならない。〈仲間の規範に〉頑強に反抗するものは、彼を今までの仲間に結びつけていた紐帯を自ら放つものである。彼は、追々に見すてられ悍られ排斥される。かくて、すくなくとも、命令の外面的な遵奉が問題になるかぎり、ここ、すなわち社会的諸団体のなかに、すべての社会的諸規範・法および道徳・習俗・宗教・名誉・良風美俗・礼儀作法・流行の強制力の源泉が湧きでるのである。とくに礼儀作法と流行に関しては、ずつと前にイェーリング Jhering が、(七八) ベルリンの「ゲーゲンヴァルト」„Gegenwart" 誌上に発表した二つの論文、すなわち「流行の社会的動因」と「服装の社会的動因」という論文のなかで、すでにこれらの性質を叙述している。これらの論文は、のちに二・三の省略と変更を加えられて、彼の「法における目的」Zweck im Recht という本のなかに再録された。礼儀作法と流行は、特権的な社会的サークルの規範であり、それに所属するということの外面的なしるしである。仲間になり仲間たるの利益を享受せんとするものは、それを知りそれに従わなければならない。

社会的な規範強制の力

ひとは、したがつて、まず第一に法にしたがつて行動する。というのは、社会的な諸関係が、彼にそのことを強いるからである。この関係においては、法規範は他の諸規範と区別されない。国家は唯一の強制団体ではなく、社会には、国家よりはるかに強力に強制することのできる無数の団体がある。これら諸団体のうち、もつとも強力なものの一つは今日なお家族である。近代の諸立法は、次第に、夫婦の同居義務履行の判決に執行力をあたえない方向へと動いてきている。たとえ、国家法たる家族法の全部が廃棄されるとしても、家族は、そのために今日とはまつたく異つた外貌を提するようなことはないだろう。というのは、家族法は、幸いにも、国家的な強制をきわめて稀にしか必要としないからである。労働者・事務員・役人・士官、彼らはみんな、彼らの契約上の義務や職務を義務感から果すのではなく、その地位にとどまらんがために、おそらくはまた、よりよい地位を獲んがために義務を果すのである。医者・弁護士・手工業者・商人は、彼らの契約をきわめて細心に履行することによつて、彼らの顧客に満足をあたえ、その顧客をふやし、必要な場合にはその信用を固めることをもめざしている。刑罰や強制執行を、彼らは最後に考える。原則としてその取引先との間では訴訟を起さず、またすくなくとも普通は訴えられもせず、のみならず理由のない請求をも完全に履行してやるような大商店がある。これらの大商店は、支払拒絶や無茶な要求に対しては、取引関係の断絶というしかたで返報する。それほどまで彼ら自身の実力が充分に役にたつのであつて、彼らは、司法的な法の保護をほとんど頼りにしないのである。そのほかまた、社会的地位の高いひとびとは、たとえば、僕婢・事務員・労働者・手工業者に対して訴訟を起したりしない。彼らは、その社会的・経済的勢力によつて、充分に不法から守られているのである。イギリスの労働組合は、数十年の間、あらゆる国家的な承認を拒絶し、それによつて、意識的かつ故意に、法の保護を放棄した。いうまでもなく、それでけつしてやり損つたわけではない。近代のトラストやカルテルは、その勢力範囲に入りこむすべてのひとびとに対して、一度も国家権力や裁判所の助けを求めることなしに、その正当な要求や、またしばしば、まつたく不当な要求さえも貫徹するような強制手段の完全な体系をもつている。オーストリア政府が招集した製鉄業カルテルに関する調査委員会で、そのカルテルの幹部の一人である委員長ケストラネック Kestranek は、つぎのような声明をした。いわく、「自分にとつては、製鉄業カルテルが法的に有効であるか否かは、第二次的の重要性しかもたない。なぜかといえば、カルテル協定は、たとえ法律上の効力はなくても、あたかも法律上の効力があるかのごとく守られるからである。製鉄業者は、たとえ契約が法律上無効であつても、それを守る人間なのだ」と。彼は、さらにつぎのようなことをつけ加えることができたであろう。すなわち、カルテル協定は、大抵の場合には、国家の裁判所ももつていないような有効な手段で、個々の製鉄業者をして契約を守らせるように強制することができるのだ、と。さらに労働者たちにとつても、労働組合協約の法的拘束力なるものは、何ら大きな意味をもたないであろう。なぜなら、協約は、あたかも法的拘束力があるかのごとくに労働者によつて守られるのであつて、しかも、それは、大抵の場合には、製鉄業者がカルテル協定を守るのと同じような理由によるのだからである。カトリック教会がその法的秩序においても到るところでしめす確乎たる組織には、その敵も味方も驚嘆する。しかし、教会法は、ごくほんの一部分国家的な強制手段によつて保証されているにすぎず、教会が国家から分離されているところでは、教会法は、まつたく国家的な強制手段によつては保証されない。教会法の全構造は、主として社会的な基礎の上に、いやそればかりか広い領域にわたつて社会的な基礎の上にのみ、なりたつているのである。フランスでは分離法以来、(七九)教育税はあまり信心深くないカトリック教徒によつてもまた誠実に支払われている。惜しくも夭折した学者ノートナーゲル(八〇) Nothnagel は、彼の興味ある処女論文を、社会的「諸利益団体」による執行の問題にささげた。

企業家団体および労働者団体の規範強制

いままで述べてきたことをはつきりさせるには、近代の賃銀闘争を一見するにしくはない。長年の間、工場労働者は、労働契約から生ずるすべての義務をもつとも誠実に果してきた。何が彼をそうさせたか。もしそれが彼自身の義務感でないとすれば、それは、解雇と失業に対する怖れか、彼が働く工場でよりよい地位を獲んとする見込みか、あるいはまた、彼の同僚・長上から重視されるという見込みかであつた。これに反して、裁判上の訴えとか強制執行は、手の力以外に何ひとつ彼自身のものと呼ぶことのできるものをもつていない工場労働者にとつては、単なる言葉以上のものではない。さて、彼は、いま組織されたばかりの労働組合に加入し、労働組合は、その組合員が組合外の労働者と一緒に働いてはならないという決議をする。いうまでもなく、国家の裁判所や他の諸官庁に通用する法は、この規範に対しては、あらゆる法的効力を拒む。しかし、工場労働者は、異議なくその規範をうけとるだろう。というのは、その規範は、労働者がもつとも緊密に関係している団体からでたものだからである。そして、彼の仲間がその決議にしたがつてストライキをするときには、彼は、彼らに与みし、長年の間誠実に守つてきた労働契約を破棄し、彼自身と彼の家族を失業のあらゆる危険にさらすことを、一瞬といえどもためらわない。解雇に伴う困窮と貧困は、いまや彼にとつてあらゆる恐怖をうしなつた。強制の可能な法規範たる契約規範の効力は、他の規範によつて完全に無力にされる。ストライキは、この営業部門のすべての企業家とすべての労働者とを二つの交戦軍に分つた。そして、この両陣営においては、指導者の命令は、たとえそれが法的にはうたがいもなくなんの強制力もないものであつても、盲目的に遵守される。最後に、平和条約、すなわち、賃率契約が成立する。このような賃率契約が訴えられるものであるかどうかということは、周知のごとく、ほとんどつねに異論がとなえられ、大抵の場合現行法にしたがえば、法廷ではほとんど主張できない。しかし、そんなことはまつたく問題ではない。両当事者は、賃率契約を法廷で主張することができないにもかかわらず、違反しないでこれを守るだろう。それればかりでなく、契約に署名しなかつた企業家も、契約が締結されてからずつと後になつてはじめて仕事につく労働者も、この賃率契約を守るのである。というのは、いまや賃率契約は、この営業部門における仕事の秩序の基礎であり、たとえ当事者はその契約に満足していないとしても、彼らは、この悪い秩序でさえも永遠の闘争よりはなお数等もよいことを知つているからである。

強制の二つの形式

もつとも、法規範のみに特有なものとはいえないけれども、主として法規範に特有な強制の諸形式がある。それは、すなわち、刑罰と強制執行とである。この二つの形式は、いかなる意味をもつのであるか。はたして、それは、ひとが普通考えるように、法規範にその力のすべてを授けるものなのであろうか。強制を伴わない法、正確にいえば、刑罰の強制と執行の強制を伴わない法は、イーエリングが考えるように、はたしてもえない火にすぎないのであろうか（それはそうと、多くの種類のもえない火もあることはあるのだが）。この問題に遺漏なく答えるためには、おそらく刑罰強制と執行強制の作用の詳細な研究が必要であろう。しかし、実生活をひとめ見れば、刑罰強制と執行強制が必要なのは、一般に、ただ非常にかぎられた範囲内で、まつたく特定の方向内においてだけなのだということがわかる。法律問題あるいは事実問題が争われたため裁判所や他の諸官庁に訴えた場合、したがつて、法を強制的に実現することが問題なのではなく、何が法律上正しいのかを指示することが問題である場合、を除いて考えるならば、つぎのような結論が生ずる。すなわち、刑罰強制と執行強制とは、すくなくとも集団現象としては――そして、ここでは集団現象のみが問題となりうるのであるが――、非常にかぎられた範囲においてのみ、かつ、社会的諸団体の他の強制手段がなにかの理由で役にたたなくなるかぎりにおいてのみ、働くであろう。

刑罰強制はあまり大きな意味をもたない

刑罰の重要さの程度は、刑事統計を見ただけでもわかる。たしかに、犯罪は、社会のあらゆるサークルにおいて行われる。しかし、社会的な抑制が効果をおよぼさないようなつまらぬ人間を度外視し、犯罪そのものが社会的な地位に触れないという理由で社会的な影響のない若干の犯罪（侮辱・決闘・政治的犯罪およびドイツ農民階級の一部に行われる身体傷害）を度外視し、個々別々の出来事ではなく刑事裁判所が行う日々の仕事の大部分を観察するならば、刑法は、ほとんどもつぱら、その素性・経済的困窮・教育の不完全あるいは道徳的放任のために人間共同体から閉めだされたようなひとびとに対して向けられている、ということはあきらかである。このように人間共同体から排斥されたひとびとに対してのみ、彼らをもなお包含しているところの最後の・もつとも広い団体、すなわち、刑罰権力をもつところの国家があらわれる。ここでは、国家は、社会の機関として、社会の外にたつ者に対して社会を保護する。それがいかなる成果をあげたかということは、数千年の経験がこれを示している。むしろ、犯罪に対する唯一のそしてもつとも真面目な対抗手段は、能うかぎり犯罪人をもう一度人間共同体に拾いあげ、もう一度彼を社会的圧力に新たに服せしめることである、という確信が次第に起りつつある。

強制執行のかぎられた作用

強制執行については問題はちがつてくるだろうか。強制執行なるものは、人の行為に対する請求権、たとえば、雇傭契約・賃銀契約・請負契約から生ずる請求権の場合には、ほとんどまつたく何の役割も演じない、ということはすでに指摘した。強制執行は、恐らく金銭債権の場合にだけ、したがつて、つねに、法生活の一小部分においてだけ社会的な意味をもつているにすぎない。この点は、金銭債権がはたして強制執行を考えて設定されるのかどうか、という問題を提出すればおそらく充分であろう。というのは、信用をあたえる債権者は、その際に債務者をして支払をなさしめうるあらゆる要素を考慮にいれることは明白だからである。信用の組織を一目みれば、まさに信用取引においては法の強制がいかに重要性をもたないか、ということが教えられる。われわれは、充分な根拠をもつて、いくらか発達した国民経済においては強制執行の見込みを計算にいれて信用能力を考えるようなことはほとんどない、ということを主張することができる。信用能力の調査というものは、普通は、信用を求める者についてのかなり詳細な社会的および心理学的な研究なのであつて、この調査に対する実際の材料は、通常の信用授与の場合には日常の経験によつてあたえられ、商業上の信用授与の場合には多方面に手足をもつた組織によつてあたえられる。もしこの調査の結果、訴訟になつたり強制執行になつたりする可能性のあることがわかつた場合には、通常は、ただもうそれだけで信用能力はないということにきまるのである。

信用の保証は、信用を求める者の財産・社会的地位・経済的必要・個人的関係および性向に基礎をおいている。それらすべてのことは、信用を求める者がつねにその義務を意識し履行するであろう、ということに対する保証を提供するに相違ないからである。まさに、組織化されていることのもつともすくない信用、すなわち、法外な利息によつて損失の危険を防ごうとする高利貸信用は、債務者の義務意識あるいは彼の生活環境が債務者をして支払をなさしめるだろう、ということをもつとも多く期待しているのである。これらすべての事柄において、信用の前提となる社会的諸団体の重要性があらわれる。いつの世にも行われることであるが、もし未知のひとに信用があたえられるとするならば、それは、その未知のひとの地位・境遇・財産が信用能力を保証する、という印象を彼の態度を通じて呼びおこしたに相違ないからである。〔古代〕ローマでは、あらゆる売買は責任Haftungと結びついていたため、本来信用取引であつたので、事実いろいろの典拠の示すように、未知のひとから容易に物を買うことはなかつた。(八二)

信用は強制執行の見込みにもとずかない

したがつて、信用能力は、決して強制執行の見込みのあることとの表現ではない。信用能力は、むしろ債権者が信用をあたえる際にたのみとする社会的諸関係の経済的な表現である。その地位が債権に対して何らの保証もあたえないような人には、だれも信用をあたえはしない。ひとは、ただそのような人とは現物とひきかえに取引するか、もしくは、担保とひきかえに取引するだけである。現物取引と担保取引は占有の移転を本質とする。したがつて、それらの取引は、単に強制執行を予定しないばかりでなく、法秩序すらも予定するものではない。われわれは、もしたとえば護衛によつて野蛮人の暴行から守られているならば、白人を一度もみたことのないような野蛮人とでも現物取引・担保取引を締結する。文明社会においては、占有は、諸団体の内部秩序によつて充分に保証される。そして、結局、国家――社会に存するところのもつとも広汎な団体——もまた、社会の機関として占有を保証する。現物取引および担保取引は、純粋の占有取引なのであるから強制執行を予定せず、むしろそれを無用とするからこそ、だれとでも締結されうるのである。だからまた、家主の担保権は、だれでもその信用能力に関係なく住宅を賃借することができる、という有益作用をもつのである。借家人が家賃を払わないような場合には、家主は借家人がもちこんだ物に対する支配を獲得することができるのであつて、このことは、国家によつて保護される家主の担保権のないイギリスにおいては、それゆえに、賃貸契約 lease に際して、身元証明(八二) reference、すなわち、それによつて借家人の信用能力が生ずるところの借家人の人格的地位の証明が要求される。ただ借家人の信用能力を判断することのできない(彼が交渉する顧客に対して取捨選択の自由をもたない)宿屋の主人だけは、旅客がもちこんだ物にたいして法定担保権(八三) lien をもつのである。かくして、ここでふたたび文明社会においては、占有による保証が信用組織にかかわるのである。

社会的な規範強制と国家的な規範強制

とくに法律家にみられるところであるが、法秩序の基礎を強制執行に求めるのは、強制執行の意義をはなはだしく過大評価するものというべきである。強制執行の作用は、大多数の場合には、本来、法生活の一小部分すなわち金銭債権に限られているのであるが、この領域においてすら、その力は、われわれに義務を履行させようとする社会的諸団体よりも著しく弱いのである。債権者は債務者の信用能力をあらかじめ正しく評価するものだということ、したがつて、債権者をして信用をあたえさせる諸理由は債務者にその義務を果させる諸理由とまつたく一致するのだということ、については一般に何の疑いもないところである。実際、何らかの人格的名望・社交・取引関係、一言にしていえば、信用を大事に思うような人間は、ことを強制執行にまでいたらしめる、というようなことは考えさえもしないだろう。けだし、これらすべてのものは、彼が一時の利益のために危険にさらすには、彼にとつてあまりに重要であるからである。賭博者は、その訴えることのできない・賭博の負債を、ただ社会的な強制によつて支払うのであるが、普通の人間も、社会的な強制に対してすくなくとも普通の賭博者と同様の感情をもつのである。株式の差額取引から生ずる・訴えることのできない債務ですら、たとえその不履行の社会的・経済的結果が本来の取引債務にくらべて疑いもなくはるかに重要性をもつていないにしても、なお普通は支払われるのである。高利取締法の周知のごとき無効果性は、強制執行をしなくても高利債務者をして支払わせることができるのだ、ということを、誰の目にもはつきり示している。商人の信用団体の出す報告は、強制執行がまつたく無効果に終つたところでも、周知のごとき純粋に経済的な強制手段(ボイコットの声明、ブラックリスト)がなお効果をあげるのだ、ということを示している。古くてもなお有用な材料を、ノートナーゲルは、上述の彼の著書のなかであたえている。したがつて、強制執行もまた、刑罰とまつたく同様に、社会の零落者と被排斥者に対してのみ存在する。すなわち、軽率な借主・詐欺師・破産者・最後に、災厄によつて支払能力のなくなつたひと、に対してである。これらのひとびとは商業界の重荷にはなるだろうが、しかし、法秩序の価値というものはこれらのひとびとに対する対抗手段をあたえる点にあるというためには、これらのひとびとは、あまりにもとるに足らないのである。

国家的強制秩序を伴わないいろいろの社会

かくて、大体において、国家の法的強制秩序の作用は、社会の外にたつているひとびとに対抗して人格・所有権・債権を保護するということにつきる。それ以外にも、法を正しく維持するために国家が行うことがらはあるが、それよりもはるかに重要性の少いものであり、それがなくても社会は支離滅裂にはなるまいといつても、誤りではないであろう。結局、商取引は、旧ポーランド共和国においても辛うじて存続することができたし、また現在の東洋において、たとえ賄賂のきく極度に無能な司法がそこではほとんど司法という名にも値しないにしても、商取引は行われているのである。前世紀の三十年代に行われた裁判所の改革までは、金がかかりかつ緩慢な・イギリスの民事訴訟の恩恵は、イギリス市民階級の富裕な上層階級の外にほとんどおよばなかつた。しかし、このことは、イギリス人が同時に富裕な・高い文明をもつた国民になることを妨げなかつた。なおまた、古い訴訟手続が支配していたドイツおよびオーストリアの法的保護も、さほど効果的であつたわけではない。このような諸関係のもとでは、ひとは、おそらく信用を制限し、精巧に工夫した保証の助けをかりる。それでも足りないところは、社会的諸団体が行わなければならないのである。帝室裁判所 Reichskammergericht(八四) は司法に対していかに少しか重要性をもつていないか、ということを見のがさなかつたゲーテ Goethe は、とりわけ何が問題であるか、ということをまつたく正しくあきらかにした。(八五) 刑事司法までが役にたたなくなれば、問題はいつそう困つたことになる。けれども、ハンガリー、南イタリアおよびスペインの国民は、何と数百年の間も盗賊の活動をきりぬけることができた、ということを証明している。

社会全体がもつぱら小さな諸団体から成りたつていた人類の原始時代においてのみならず、ずつとのちになつても、いな現在においてさえ、諸団体の内部秩序によつてのみ維持されてきたような社会の例に欠けることはない。国家権力が非常に弱いところでは、本来、このような秩序以外の他の秩序は存在しない。事実、このような秩序の上に、近世においてもなおヨーロッパでは、旧ポーランド共和国、十七世紀および十八世紀のハンガリー、ナポリ王国、シシリア王国のような社会が、うちたてられていたのである。東洋でも部分的にはそうである。中世において、国家の無力は、法の保護のための特別の諸団体とコンメンダチオ(八六) Commendation を生ぜしめた。近世においては、類似の形態は、旧ポーランド共和国の連合において、またナポリおよびシシリアの Cammorra(八七) と

Maffia においてみられる。(八八) 最後に、六世紀のアラビア人に関するネルデッケ Nöldeke (八九) の詳論は、大国民、いやそればかりでなく、大きな・富裕な商業都市も、もつぱらその諸団体の内的な力によつて存続することができるのだ、ということの証拠として引用されてよいだろう。「アラビア人は決して国家組織を示さないということが、ここで、とりわけ注目される。氏族・種族は、大きな権威をもつた道徳的な統一体であるが、しかし、何の強制権力ももつていない。氏族または種族の事業に関与しない者は、悪口をいわれ、いな、軽蔑されるだろう。けれども、彼に対する強制手段は存在しない。ただ血讐 Blutrache (九〇) だけが、ある程度の保証を与える。それ以外の犯罪が私的な復讐以外の方法で処罰されたという事実については、わたくしはまだ聞いたことがない。種族の一員あるいは客人の物を盗むということは、恥ずべきことであつた。けれども、盗まれた者は、その盗まれた物を取りもどす以外には何の方法ももたなかつた。このような状態は、単にベドゥイン族 Beduinen (九一) の間だけに行われていただけではなく、諸都市においても、メッカにおいてすらも行われていた。住民が非常に広大な範囲にわたつて商業を行い、ベドゥイン族にくらべると精神的に特に優越し、やがて世界の半分の征服者かつ支配者として威光を輝かすにいたつたところに、本当の官庁というようなものがなかつた、などということを信じてはならない。しかしながら、最高有力者の道徳的な権威がこの欠陥をかなりの程度に補つたということを、われわれは、つねに強調しなければならない。氏族の首長たち——彼らは、氏族に対して、ときおり、ただ道徳的な権威だけを振るつたのであるが——が、あることに関して意見の一致をみた場合には、個々人あるいは個々の家族が、あえてそれへの協力を拒むのは容易ではなかつた。しかしそれにもかかわらずそういうことも時にはあつたのである。」現在まで続いている非常に緊密なアラビア人の諸氏族の結合と、あらゆる個々人がその一族の間で見いだしたうしろだてとによつてのみこのような社会の存在が可能であつたということが、ネルデッケのこの最後の記述からわかるのである。

過去および現在における社会的な規範強制

人類文明の起源にさかのぼるならば、宗教規範・道徳規範・習俗規範からまだ区別されない法規範の効力は、もつぱら、あるいは、ほとんどもつぱら、個々人がその属している狭い団体の仲間達からうける影響に基礎をおいている、ということがわかる。一般に、すべてのひとは、異議なく彼の家族秩序または氏族秩序に服する。固有の法の強制あるいは刑罰の強制は、身近かな仲間に対しては、ほとんどどこにも存在しない。頑強な反抗は、人間に起りうる最大の不幸と思われている・共同体からの追放によつて、報われる（ホメーロスのいわゆるαφρήτωρ ανέστιος αθέμιστος（九二））。暴力による権利の貫徹と暴力による防禦とは、自分の共同体の諸規範が効力をおよぼすことのできないような外人に対してのみ行われる。このような状態はわれわれからずつと遠くへだたつている、と考えるのは間違いであろう。今日においてもなお、法の効力は、主として、法の発展の初期におけると同様に、個々人を包含する諸団体の静かな間断なき支配にもとずくのである。なお今日においても依然として、この点において、法は、他の諸規範、すなわち、宗教・道徳・習俗・良風美俗・常識・礼儀作法・流行の諸規範に非常に似ているように思われる。今日においてもなお、共同体（教会、社団、社会的ならびに法律的意味における諸社会）からの追放、信用の剝奪、地位あるいは顧客の喪失は、頑強な反抗に対するもつとも有効な方法である。今日においてもなお、法律家があらゆる法秩序の基礎と思いなれている刑罰と強制執行とは、共同体から放逐されたひとびとに対する最後的な闘争手段であるにすぎない。ちようど、かつて私闘[九三] Fehde が他の共同体に属しているひとびとに対する最後的な闘争手段であつたと同じように。

法秩序はなぜ主として強制秩序としてあらわれるか

それにもかかわらず、社会的諸規範の効力は、ごく一般的には、国家の強制権力に還元される、という事実はなお説明を必要とする。あらゆる誤れる学説も、何らかの正しい観察にもとずいているにちがいない。われわれの知覚と感覚は、つねに真実である。ただ、われわれがそれから引きだす結論だけが真実でないことがありうるだけである。まず第一に、法の一部分は、実際に、国家的強制によつてその効力を維持する。この部分は、あまり大きくもなければ、あまり重要でもない。しかし、この部分は、まさに法律家にとつてはもつとも興味ある部分である。なぜなら、法律家は、強制が必要となるときに始めて法を問題とすることができるからである。次に、疑いもなく、刑罰強制と執行強制がなければほとんど大多数のひとびとが遵守しないような諸規範もある。しかし、ここでは、警察犯の裁判官や刑事裁判官によつて取り扱われるだけでなく、民事裁判官によつても取り扱われる警察法の諸規範（マックス・エルンスト・マイエル）[九四]は、あまり重要ではない。警察法の諸規範は、裁判規範として国家権力から生ずるのであつて、社会的な生活とは無縁であり、それらの規範は、しばしば、それについてなされた判決を通じて始めて知られ、それによつて行為の規則となる。これらの判決があつたとき始めて、本当は法律の公布があつたことになるのであつて、「法の無知は害す」[九五] ignorantia iuris nocet の法理が、その本当の意味においてここに現われるのである。近代国家のほとんどすべての軍制、またおそらくは、近代国家のすべての税制、したがつてまさに、われわれが国家生活の基礎として考えつけているようなものは、国家的な強制なくしてはほとんど一瞬といえども存立することができないであろう、という事実はよりいつそう重要である。しかし、このことは、国家と社会の大部分がお互に対立している、ということを意味するにすぎない。この対立の結果、国家の軍制と税制とは、もつぱら国家的な仕事になつてしまうほど、それほどに社会にとつては無縁であるにとどまるのである。このことは、それにもかかわらず、おそらくは中間の歴史的段階にすぎない。古典古代の都市国家においては、そうではなかつた。〔そこでは、〕すべての軍制と、市民が国家のために文弁しなければならなかつた給付の部分は、社会的に組織化されていたのであつて、小さな国家においては、現在もなお、そうである。

無産階級に対する法秩序の圧迫

だから、法を強制秩序としてみる見解は、ただ国家からのみその力を汲みとるところの・法のこの部分を、一面的に観察することにもとずくのである。しかし、それはすべてではない。このような見解は、主として、単に法の考察から由来するのではなく、全社会生活の考察に由来する。ひとの知るごとく、社会においては貧富の大きな対立が存在し、貧しいひとびとに対して社会的労働のすべての重圧がかかり、貧しいひとびとはその代りに辛うじて必要品を受けとるのである。また、貧しいひとびとは、法秩序によつて、彼らが社会から受けとけるよりもはるかに多くのものを社会に与えるように強制され、社会の価値少き給付に対してより価値多き給付を交換することを強制される、という事実がある。その結果かくもはなはだしく損害をこうむるひとびとによつて、このような状態が耐えしのばれるということは、このような状態が国家の権力手段によつて強制的に維持される、ということを前提としてはじめてわかるように思われた。この思想を究極の点までおしすすめたものが、社会主義的な歴史哲学のなかにみられる。社会主義的な歴史哲学は、人類の古い経済組織、すなわち、家族および氏族秩序、封鎖的な家内経済、および、労働に参加したすべての者に対して全労働生産物のかなり平等な分配が保証されていた手工業経営、から出発する（エンゲルス[九六]、ロットベルトゥス[九七]）。そして、社会主義的な歴史哲学は、いかにこのような関係がたえず資本主義の影響のもとに変化してゆくか、すなわち、ますます増大してゆく多数の無産階級に不利益をもたらし、またますます減少してゆく少数の有産者に利益をもたらすかということを教える（マルクス[九八]）。いわく、古い経済秩序は、その秩序で利益をえた多くのひとびとによつて支持され、新しい資本主義的秩序は、所有権・契約および相続法の上に基礎づけられている法秩序を保護するために、有産者の権力的なかつ巧妙な組織である国家によつてのみ維持される、と。したがつて、社会主義者が有産者の組織に対して大衆の組織を対抗させることを要求し、かくて無産者にとつていつそう有利な法秩序を完成することを無産者に要求しているのは、まつたく当然の帰結である。

法秩序が必要であるという無産者の感情

もしも、現在のすべての法秩序が国家によつてのみ維持され、国家なるものは、少数の有産者の、しかも大多数の無産者にくらべてますます少数になつてゆく有産者の組織以外の何ものでもない、という見解が正しいとすれば、それだけですでに、法秩序と国家に対して判決が下されたも同然である。だが、すでに述べたように、法秩序を保護するための国家の権力手段は、実際に国民大衆に対してではなく、ただ少数者に対して、すなわち、被追放者、すべての社会的諸関係の外にたつ者に対してのみ向けられているのである。国民大衆は、国家によつてはじめて統御される必要はないのであつて、彼らは法秩序に対して自発的に服従するのである。というのは、国民大衆は、法秩序がすべての個々人の参加している経済的・社会的諸団体の秩序である、ということを感知するからである。したがつて、これらの諸団体を通じて非常に少数のひとびとが非常に多くのひとびとを搾取する、ということは正当ではない。このようなことが長い間暴力的な爆発なくして可能であつたということは、すべての歴史的経験と群衆心理とに矛盾する。契約違反を伴うあらゆる大きなストライキは、国家の権力手段も数百あるいは数千の反抗するひとびとに対して法の要求を貫徹するためには到底充分ではない、ということを示している。したがつて、もし非常に多くの人間——これには、いうまでもなく、全労働者階級も属しているのであるが——が法秩序を尊重する場合には、彼らは、法秩序を守ることが必要でありしかも自分の利益のために必要である、ということについてたとえ明確な理解はもつていないまでも、それについて強い感情だけはつねにもつているであろう。この感情は、政治的ではなく経済的な革命を目的とするあらゆる暴動の際にも、明白にあらわれる。非常に多くのひとびとは、この場合、国家権力の側にたつ。そして、このような運動は、比較的広い国家領域にわたつて永続的に存立しうるほどの成功を収めたためしはなかつたのである。

まことに、現在の法秩序は、財貨生産の組織であると同時に財貨交換の組織なのであるから、少数者の生存のみならず大衆の生存の可能性をも奪うことなくしては、これを廃止することはできない。だから、もし人類文明を存続させようとするなら、この法秩序を廃止しっぱなしにするわけにはゆかないのであり、ただちに他の法秩序、すなわち、社会主義的な法秩序によつて置きかえることができるのでなければならない。しかし、そんなことがいつでも直ちにできるなどとは、現在はおそらく、判断力のあるひとならばどんなひとでも、またどんな社会主義者も、もはや主張したりしない。賢明な社会主義者は、ずつと以前から、社会主義経済への資本主義経済の漸次的発展について論ずるだけである。のみならず、それさえ近い将来にはありえないということを、わたくしは、他の場所で論証したと信ずる（Südd. Monatshefte 第三巻）。したがつて、もし現在の社会秩序が、多数のひとびとに課する大きな犠牲にもかかわらず、なお常にかなりしつかりした構造を示すとすれば、このことは、あきらかに、現在の秩序以上のこと、あるいはただ同程度のことを、有産者のみならず無産者にとつても行いうるような他の秩序がさしあたつて問題にならない、という事実に負うているのである。「最終目標」は何か、という問題は、いまは論じないでおこう。社会主義思想をもつヨーロッパの労働者にとつて現実に問題なのは、わずかではあるが可能な社会的進歩を保証するような・現在の法秩序の改良だけである。

諸規範は人間を強制するのではなく教育してきた

社会的諸団体が規範の遵守を強制する圧力に対して、個々人のとる態度は、いうまでもなく常に、能動的および受動的の両者である。団体のすべての成員はこの圧力に参加し、またすべての個人はそれに従わなくてはならない。規範強制の群衆心理的事実は、同時に、規範を遵守するという個人心理的事実を生じさせる。しかし、それにもかかわらず、まさにこのことに重きをおくということは、まちがいであろう。一生を通じて異議なく権力的な機構に順応する大多数の人間においては、意識的な思考の結果が問題なのではなく、生れてから死ぬまで彼らについてまわる環境の感情と思想に無意識的に入りこむことが問題なのである。もつとも重要な諸規範は、ただ暗示を通じてのみ作用する。それらの諸規範は、命令および禁止として人間に迫るのだが、何の理由も示さずひとびとに立ち向うのであつて、ひとは、深く考えないでそれにしたがうのである。それらの諸規範は、ひとを強制するのではなくて、ひとびとを教育してきた。これらの諸規範は、子供のときにすでに覚えこまされる。「そういうことはしないものだ。」「そういうことをするのは感心しない。」「神はかく命じ給う。」このような言葉は、絶えずくりかえされ、一生を通じて彼につきまとう。そして、経験が遵守の利益と違反の不利益とを非常にはつきりと示せば示すほどますます自発的に、彼はそれらの諸規範にしたがうのである。利益と不利益とは、社会的なものであるのみならず、同時に個人的なものでもある。というのは、ある命令にしたがう者は、自分で考えるという困難な仕事と、自分で決心するという・よりいつそう困難な仕事とを、しなくてすむからである。自由と独立とは、単に詩人・芸術家・思想家の理想にすぎない。普通のひとは、それについて多くを理解しない俗人である。彼らは、習慣的なもの・本能的なものを愛し、精神的な努力ほど彼らの嫌いなものはない。だから、女は意思の強い男に夢中になるのである。彼らは、彼女たちに代つて決心してやり、反抗するという考えをまつたく生ぜしめない。彼女らは、その結果免れるあらゆる労苦に対して、彼女たちの夫に心から感謝するのである。

このように、規範にしたがうということは、結局、人間全体に刻印をおしつける。規範を守ることによつて、単に個々の行為だけではなく、行為者自身が、法的になり、道徳的になり、信仰深くなり、習慣を固く守るようになり、礼儀正しくなり、常識に富むようになり、尊敬されるようになり、作法があり、モダンになる。彼が確信をもつて諸規範にしたがうと、そのことは、彼の行動に安定性をあたえる。規範の遵守があらゆる個々的な場合に働かせる社会的圧力は、その圧力が人間の性向を形づくるようになると、もはや他の影響によつて排除されることはできない。社会的な諸規範は、個性を形成するのである。

法規範の根源と作用を研究するひとが、まず手はじめに、背広をきてネクタイをしめないひとをなぜ街頭で見かけないかという・それよりもずつと簡単な問題に答えようとすることは、おそらくまつたく無意味ではないだろう。単に、おしやれということでは説明にならない。たしかに、衣服に対してまつたく無頓着な多くのひとがいる。けれども、このようなひとびとも、決してネクタイなしでは人前にあらわれないであろう。周知のごとくやらないわけにはいかない歴史的研究を容易にするために、わたくしは、つぎのことをのべておこう。すなわち、趣味的には必ずしも異論がないわけではないという点はさておき、ともかくも本来はたしかにかなり余計なこの服飾品〈すなわち、ネクタイ〉は、ルイ十四世治下のパリに駐屯したクロアチア連隊の服装に由来したものであつて、だから、そのオーストリア語およびフランス語の名前（Krawatte）は、彼らの名に由来するのである。なんらかの自尊心をもつ・あらゆる文明的なヨーロッパ人にネクタイをつけさせる社会的な規範は、社会を秩序づけるという任務をもつているのであるが、まさにこの秩序づけの任務が今日ではかなり隠されているのであるから、このことをいつそう徹底的に研究することは、法律家にとつても多くの問題解決のいと口をあたえるであろう。

すべての社会的諸規範は団体の内部においてのみ妥当する

社会的諸規範――法規範であつても、あるいは、他種の諸規範であつても――は、それゆえに、つねに団体から生ずるのであつて、これらの規範は、この団体の所属員のみを義務づけ、団体の所属員に対してのみ彼らを義務づけるのである。外部にむかつては、それは働かない。こういうことを古典古代の時代にだれかが書いたとしたら、古代人ならだれでもおのずからわかる真理として、それ以上のなんらの証明を必要としなかつたで、あろう。その当時には、法・宗教・道徳・習俗は自己の民族に対してのみ存在するのだ、ということをだれも疑わなかつた。この自己の民族という範囲は、しばしば、都市の城壁の前でもう止つてしまい、もつとも近い種族親近関係および言語親近関係を超えることは決してなかつたのである。この範囲を超える場合には、まず、客人・友人との契約あるいは商業契約によつて、紐帯が結ばれなければならなかつた。このような状態は、現在でもなお、ヨーロッパ文明の圏外にあるすべての諸民族の間に行われているのである。たしかに、大抵の場合、客人は神聖視されている。しかし、客人は敷居をまたいだ瞬間に家族の一員になるのであつて、多くの場合は、彼にあたえられていた保護は、彼が家の外にでた瞬間に停止されるのである。

いうまでもなく現在においては、このことはもはや同じ程度には存在しない。習俗・良風美俗・常識・礼儀作法・流行の諸規範は、一定の範囲を超えては働かない、ということは、ともかくも明かである。しかし、法規範の少くとも一部分は、あらゆるひとのために妥当し、かつ、あらゆるひとに対して妥当する。三つあるいは四つの世界宗教は、その真理を全人類に宣布する。近代の道徳も、同様に、もはや民族の間だけのものだ、という古い限界を知らない。問題は、これらすべてのことがなにを意味するか、ということである。

宗教は、その教義においても、その儀式の諸規則においても、はじめから、その信者に対してのみ向けられている。宗教が世界宗教となつているということは、宗教がその共同体の門戸をその宗教を理解するすべてのひとに開放する、ということを意味するにすぎないであろう。この点において、世界宗教は、いうまでもなく、古代の国民的に制限された諸宗教に対立する。しかし、この対立は、他の領域にも存在するのである。

近代の道徳は、宗教的な基礎の上に構築されているものであろうと、哲学的な基礎の上に構築されているものであろうと、これとは違つたものとして現われる。道徳は、道徳的な命令を、すべての人間、ならびに、人面をかぶつたすべてのもの、に対して課そうとする。しかし、この道徳的命令が単なる説教あるいは教説とはまつたく異つたものだとか、この道徳が事実の上で大多数の人間に対する行為の規則になつているとかいうことを承認することは、断じてできない。道徳的な命令は、なお依然として狭い家族のサークルにおいてのみ、そして、たかだか友人のサークルにおいて、ほんとうに厳密に遵守されるにすぎない。このサークルから人間が遠く離れれば離れるほど、道徳的命令の力は弱くなる。何の骨折もいらない親切以上のことを他人にしてやれというような道徳は、普通人にとつては、ほとんど存在しない。祖国の敵に対する憎悪は、今日なお、太古におけると同じように、まさに称讃すべきものと考えられる。共同体の紐帯がもはやまつたく見いだされなくなつているところでは、近代人の道徳がいかに弱いものとなるかということを、われわれは、植民地の残虐行為に関するときどきの報告から学ぶことができる。しかも、これらの残虐行為は、地球上でもつとも高度の文明をもつ諸民族の成員が、武器をもたない土民に対して行つてもよいのだと思いこんでいることの、ほんの一小部分にすぎないのである。

行為の規則としての法規範も団体内においてのみ妥当する

一系列の法規範は、いうまでもなく、万人のために、そして万人に対して妥当する。しかし、これらの法規範は、国家的な法に属するか、あるいは、単なる裁判規範である。従つて、それらは、裁判所と国家の官庁に対してだけ法であつて、行為の規則ではない。いわゆる国際私法および国際刑法も裁判規範だけを含み、ただ諸官庁にのみ対するものであつて、国民に対するものではない。これに反して、生ける法は、たとえ国家によつて作られたものでも、すでにその内容からして、ほとんど、一つの団体の枠から外へはでないのである。国法から生ずる権利・義務は公民権を前提とする。家族法は家族共同体の成員であることを、団体法は団体への参加を、契約法は契約を、さらに相続法は家族の成員たることか、または、遺贈の受諾（しかも、二・三の法にしたがえば、単に拒絶しないということと同じであるが）を、前提とする。その他の権利・義務は、官吏、すなわち国家の使用人の地位から生ずるのである。ただし、生命・自由および財産に対する請求権だけには、現在この原則はあてはまらない。というのは、この請求権は、少くともヨーロッパ文明が明白に支配する領域においては、どの民族に所属するかに関係なく、すべての人に認められているからである。このことは、かなり近代における獲得物である。すなわち十六世紀においてもなお、外国人の生命と財産とは、ヨーロッパにおいて、決して安全ではなかった。現在でさえも、植民地の歴史とアメリカにおけるニグロの運命とがしめすように、文明の境界にあるところでは、そのようなことは、なお存在していないのである。十九世紀の奴隷売買禁止法は、地球上でもっとも高度の文明をもつ諸国民に、武器をもたないニグロの生命と自由とを尊重することを教えこむということがいかに困難であったか、ということを証明している。しかし、これらすべての時間的および場所的な制限はあることはあるが、あらゆる人間の生命・自由および財産の尊重ということは、現在は、もはや単なる裁判規範や国家的措置ではなく、事実上、生ける法の原則になっている。このつつましやかな範囲においては、全人類はすでに一つの大きな法団体となっている。しかしながら、このことは、他の法関係、なかんずく契約法には適用することができない。遠隔の諸地方における信用諸関係の不安——すべての商況報告における常套の文句であるが——は、このことをきわめて雄弁に証明している。

全人類を包括する法団体および道徳団体の端初

それにもかかわらず、その倫理がただ一つの人間団体にかぎられるのでないような宗教的・哲学的な倫理が現在やはり存在する、という事実があする。この事実は、どうしても説明されなければならない。この事実は、すくなくとも卓絶せるひとびとの間では、すべての人間を包括する道徳の観念、および、いかなる限界とも結びつかない法の観念がすでに生れている、ということを意味している。今日においては、それはまだ、よりよき未来を約束する・もっとも高貴なひとたち・最もすぐれたひとたちの夢以上のものではないにしても、もっとも高度の文明のあるところでは万人の生命・自由・財産を保証する程度にまで、生ける法の中で現実化されるにいたっているのである。

五　法的事実

法律家の考え方　今日の法律家は、法と法的強制とが支配している世界をながめるのになれている。法律家の世界たるこの世界から、法律家の世界観がでてくるのであるが、それは、法と法的強制とを万事のはじめとする点で誤つている。法と法的強制とがなくては、法律家は人の共同生活を全く考えることができない。公権力によつて結合させられたのでないような・またそれに至らないまでも公権力によつて監督されもしていないような家族、裁判所によつては保護されないような所有権、異議は少くとも述べうるが訴えることのできないような契約、なんらの法的救済手段にもよらないで確保できるような遺産などというようなものは、法律家にとつては、全く法の外にある事柄であり、法にとつてどうでもよい事柄である。かくて、法律家の観念の世界の中では、法秩序と裁判所と法的強制とが結合して一体をなしているのであり、法律家がためらうことなく法や法的関係について云々するのは、裁判所と法的強制とがある場合に、あるいはまたおそらく、行政官庁と行政上の強制がある場合に、かぎられるであろう。

法源理論　法源という純粋に法律的な概念が生れたのは、この狭い世界においてであつた。(九九)

明らかに、そこでの問題は、裁判所や行政官庁が法的強制を行使する場合に基準とされる諸規則の起源を説明することにのみ、限られていた。支配的な法律学は、この途をたどつて、あらゆる法の源を制定法と慣習とに帰せしめる周知の二法源説 Zweiquellentheorie に到達した。この説の根拠が、制定法 leges のほかには慣習 consuetudo だけしか法源として認めていないローマ法大全と教会法大全の規定にあることは、明らかである。しかしながら、この説の認識論的基礎は、論理学上の矛盾律にあるといつてよい。制定法でない法はすべて慣習法でしかありえないとするのであるから、慣習法の概念いかんの問題は、制定法でない法はいかなる性質のものでなければならないか、という問題になつてしまう。なぜ制定法と慣習法以外の法源がないかは、我々に教えるところがない。制定法の性質の学問的な研究は問題にならないし、慣習法について教えられていることは、ありふれたいいまわしの域を脱していない。根本においては、ローマ人の方がはるかに学問的に進んでいた。すなわち、ローマ人は、裁判官を拘束する法規の生ずるもととなつたような六種また八種の手続を、単に列挙するだけで満足していたのである。しかしそれにもかかわらず、学説とか、裁判上の慣例とか、習俗的規則とか、さらにまた、多くの商法学著述家のあげる例によれば、取引慣習（商慣習 Usance）〔一〇〇〕とかいうような、第三の法源を、この二つの法源とならべるというだけの試みも、従来とれ一つとして力をえることができなかつた。

二　法源説の維持しがたいこと　しかしながら、この事柄についてもつとも悲しむべきことは、現在制定法と慣習法との概念に苦しんでいる人たちが、明らかに、その困難さを、その本来あるべきところと全くことなつた領域に求めていることである。裁判官や役人の適用すべき法規が、彼らを拘束する形式をいかにしてもつにいたるかは、法源とは何かという問題においては、すこしも重要ではない。法は法規で構成されているのではなくて、法的諸制度の中に存在している。何が法源であるかを述べようとする者は、何によつて国家・教会・自治団体・家族・所有権・契約・相続が発生したか、何によつてそれらのものが変化し発展するか、を説明することができるのでなければならない。法源理論の課題は、法的諸制度の発展の原動力を求めることにある。法規――厳密にいえば、一定の種類の法規――がいかにして確立されるか、というその形式を述べるだけでは充分ではない。法および法関係は、手でとらえ感覚的に知覚することのできる現実の中ではなくて・人間の頭の中に・存しているところの、思考上の事物である。法の観念をいだいているような人間がいなければ、法は存在しようはずがないではないか。しかし、他のすべての場合と同様に、この場合にも、我々の観念を形成する素材は、手でとらえ感覚的に知覚することのできる現実の中から、我々がとりだしてくるのである。観念の根柢をなすのはつねに、我々の観察した諸事実である。かかる諸事実は、法および法関係についての考えがすこしでもあらわれはじめるより以前に、存在していたのでなければならない。そして、今日においても、法および法関係について云々することができるには、それより以前に、ともかくなんらかの事実が存在しているのでなければならない。したがつて、ここにこそ法の仕事場が求められるべきである。かくて、法の科学の第一の問題である・法の起源は何かという問題は、どのような事実上の諸制度が歴史的に発展して法的諸制度となるのか、そして、それはどのような社会的過程を経てそうなるのか、という問題へと移行するのである。

四つの法的事実

人間の集団は、その組織によつて団体となる。組織とは、団体内の各個人にその地位とその任務とを示しあたえるところの規則である。したがつて、人間がかかる規則と結びつけて考えているような諸事実を述べることが、まず何よりも重要である。これらの諸事実は、一見すると非常に多種多様にみえるけれども、わずかのものにその源を帰することができる。それは——詳論の成果を前もつて述べることが許されるならば——次のもの、すなわち、慣行 Übung・支配 Herrschaft・占有 Besitz・意思表示 Willenserklärung である。

団体の内部秩序の源としての慣行

慣行は、「慣習法」などと混同されてはならない。また、法規が行われているという慣行が問題となるのでもない。ここで慣行とは、過去の慣習が将来の規範たるべし、ということを意味するのである。団体の長・機関および所属員の地位（上位下位関係）

と、個人の任務とは、慣行によって定められている。慣行は、氏族・家族・家のごときすべての原生的な団体内の秩序を作りだすのであり、家族と家においては今日にいたるまでもそうである。原始的な段階では、地域団体のすべてと国とにおいても、慣行はなお本質的にその規準をなしている。しかし、共和政時代のローマや今日のイギリスのように高度に発展した国家組織においてさえ、国家機関の国法上の地位は、全く圧倒的に慣行に基いているのである。ローマについてそのことをたしかめるには、モムゼンの「ローマ国法」Mommsen: Römisches Staatsrecht をぱらぱらとめく〔一〇一〕ればよい。国法の内容をもつたローマの制定法はわずかしかないが、それはほとんどもつぱら民会〔一〇二〕comitia に関するものである。さらにまた、モムゼンも、帝政時代にいたるまでのローマの政務官 Magistrat の権利義務を定める手段として、ローマの政務官が、慣習的にしなければならなかつたこと、そしてまた実際にしていたことを述べるより、ほかの手段をもつているわけではない。そして、イギリスの国法を記述しようとする者は誰でも、これと同じようにしなければならない。国王・議会・大臣・最高の役人などの国家機関はすべて、実際には、全く圧倒的に慣行にしたがつて、イギリスの述語を用いれば〔一〇三〕precedent〈先決例〉にしたがつて、ことを運んでいる。古代および中世の支配団体もまた、主として慣行によってその秩序を維持していた。

現代の団体のほとんど大多数は、契約・定款・法規および憲法に基く秩序をもつている。それにもかかわらず、これらのものにおいても、慣行が全く意味を失つてしまつたわけでは決してない。およそ、契約・定款・法規または憲法をもつてしても、団体内における個人の地位および任務について疑点や空隙が残つているような場合には、慣行がことを決するのである。したがつて、慣行は、立憲国家においてもきわめて大なる重要性をもち（習俗的規則）、労働団体（工場）においては団体生活の欠くべからざる基礎をなしているのである。

慣行は、イェリネックの表現によれば「事実的なものの規範力」（一〇四）„normative Kraft des Tatsächlichen" によつて作用する。団体内において秩序を保ち規律をしてゆくという慣行の力は、それが団体内における諸力の均衡を表現したものである、ということに基いている。団体生活における全所属員の利益、すなわち、団体内のあらゆる力を正しく利用し、各所属員をその最適と認められる場所に配置し、全体の必要にしたがつて各人に権利義務をふりあてる、という全所属員の利益は、自分の生活を営み、自分の個性を主張し、自分の利益を追求する、という個人の利己的な努力が均衡したところに実現される。慣行は、つねに諸力の究極の均衡を反映している。一般に、将来に対して規範として作用する慣行が生ずるのは、一定の地位に任ぜられた者が自分のために権能を要求して反対をうけないこと、ある任務を託された者が異議なくそれをひきうけること、あるいはまた、ひとたび起つた反対が鎮圧されること、によつてである。問題を決定するものは、原生的団体においては、体力・智的能力・経験・個人的勢望・年齢であり、その他の団体においては、富・血統・個人的結合関係である。慣行によつて或る地位と結合された権利義務は、第一にはその後継者に移るのであるが、その承継によつて勢力関係が動いた場合には、慣行がただちにこれに適応するようになるであろう。

慣行の内容は団体生活の経済によつてあたえられている

現代においてもなおその秩序が全く圧倒的に慣行に基いているところの唯一の団体は、家族の家共同体であり、それは、道徳的・社会的共同体としてばかりでなく、経済的共同体としても、そうである。それは、農民階級においては生産および消費の共同体であり、都市の市民階級においては単に消費の共同体にすぎないのであり、労働者階級の一部においてはほとんどもつぱら居住の共同体である。市民階級の家族と労働者の家族との間には、後者が同時に消費の共同体でもある場合においてさえ、やはりなお経済的には大きな差異が存在する。けだし、市民階級の家族は、家長の労働所得によつてのみ扶養されるのが普通であり、労働者の家族は、労働能力ある全家族員の労働所得によつて生活するものだからである。この三種類の家族を一目みれば、人的な隷属に関してばかりでなく、財産や収益に関しても、その各々が自分の独自の法をもつていること、そしてまた、家族関係について作成される文書（夫婦財産契約・遺言）の内容も、作成者の身分にしたがつて非常にことなつており、そのためにそれによつてすぐにその身分をきめることができるほどであること、がわかるのである。農民の家の中における家長権は絶対的である。これが市民階級の者においては緩和して一般的な指導となり、労働者においてはせいぜい道徳的な影響があるにすぎない程度にまで弱くなつている。農民においては財産および消費が共同であり、市民階級の者においては財産は分離していて消費が共同であり、労働者においては、すべてが別々になつていて、各家族員は自分の持分をもち共同に支出するときも別々に支払うのである。他のすべての団体においても、慣行の内容と慣行によつて作られた秩序とは、このようにして、団体生活の経済的基礎によつて直接にあたえられている。

団体の内部秩序の源としての支配　組織化されたすべての団体中に存している上位下位関係は、まさしく団体の内部秩序を表現するものであるが、支配隷属関係は、これと厳密に区別しなければならない。組織化された上位者による命令は、支配による命令とはことなつたものである。前者は命令者が団体のために発するものであり、後者は命令者が自分自身のために発するのである。上位におかれた者と下位におかれた者とは、団体に奉仕するという意味を一様にもつているが、隷属者はまず第一に支配者に奉仕するという意識をもつており、そのことによつて団体にも奉仕するのだという意識を同時にもつていることは、時たまあるだけである。団体は、その組織によつて必然的に作りだされる上位下位関係があるにもかかわらず、依然として一体をなしているのであるが、支配隷属関係は団体を支配者と隷属者とに分裂させ、その際に、少くとも支配者が、ときにはまた服従者も、自分の団体または下位団体を作るのである。

支配隷属には二種類を区別すべきである。すなわち、家族団体から生ずるもの――父権に対する子の隷属・夫権に対する妻の隷属――と、純粋に社会的な起源をもつ隷属関係たる奴隷制および隷農制と、である。ヨーロッパおよびアメリカの先進民族だけが到達した最近の段階にいたるまで・社会のあらゆる発展段階に見出される・多種多様の色合をもった支配隷属関係の源を法的規定に帰することは、人が容易に考えつくことではある。また事実、妻を夫に・子を父権に・被後見人を後見人に・奴隷と隷農をその主人に隷属させるのは法規であると、一般に考えられている。しかし、支配隷属の事実は、どこにおいても、法秩序の構成要素としてそれを規律するところの法規より先に存在していた。支配とはすべて、被支配者が保護をうけず助けを必要としていることの反面にすぎない。彼が支配されるのは、権利の保護をうけていないからであり、そして、彼が保護をうけないのは、彼を保護する力のあるような団体に属していないか、または、その属している団体が弱くて彼を保護する力がないか、のいずれかのためなのである。

奴隷と隷農の立場はもちろんのこと、おそらくはまた客人と被後見人の立場も、妻子の立場とは一見全くことなるもののごとくである。前者は全く支配者の団体に属しておらず、彼らは支配者の権力圏内に入りこんだ他人である。これに反して、妻子は支配者と同じ団体に属する者である。しかしながら、最古の社会における男女両性および年齢階層の関係に関する近時の研究が証明したところによると、男女両性および個々の年齢階層は、原生的な社会ではどこでも、別々の結合をなしているのである。このことは、現代においてさえ、ある程度までそうではないか。女と男とが別々に結合して、相手に対して自分の利益を主張する集団を作っていることは、今日でもなお我々の眼にするところであるし、年齢階層間の対立の跡は、今でも、中学校や、手工業の職人と徒弟との間に、しばしば残っているのである。これらはいずれも、たしかに、新しい発展のはじまりというよりも、むしろ以前に克服された発展段階の遺物なのである。

彼支配者が保護を受けないことの結果としての支配

最古の社会においては、一人前の仲間同志がまず第一に団体を作るのであり、彼らは万一の場合には自分の力だけでも攻撃を防ぐことができ、そして、自分が他人に要求する助力をその他人にもあたえることができる。女・子供やまだ武器をとれない若者は、自分たちだけで戦闘力ある団体を作ることができないために、そうすることができない。離れて生活しているよそ者は、自分をいれてくれる共同体をもたないために、そうすることができない。征服された部族や種族の所属員は、その属する共同体がまさにおしつぶされてしまつたために、そうすることができない。貧しいしいたげられた者は、彼の共同体のあたえる保護が強者のきままに対して無力なために、不安定な時代にもそうすることができない。したがつて、女・子供・よそ者・被征服者などこれらすべての者は、彼らを保護しようとする者、すなわち、夫・父・家の主人・征服者の権力の下におかれる。さらに、自分の力に自信のない者は、みずから進んで他人の保護の下に入る。もし保護者が見あたらないときには、彼は、無保護の者を輩下に置いてその生活を保護してやるような者の・手下になる。つまり彼は隷従者となる。弱者も、主人をもつていれば、もはや無防禦ではない。けだし、彼に対する攻撃が今ではすべて同時に彼の主人に対する攻撃になるからである。*

＊　アフリカのことをよく知つているオーストリアのある海軍士官は、かつて私に、スタンレー Stanley(一〇五) の成功は大部分、彼が黒人の人足と結ぶのをつねとしていた契約によるものだとおもう、と語つた。他のアフリカ旅行家は、短距離間だけ、つまり人足と同じ種族の仲間が住んでいる地域の間だけ、人足を傭うのが普通であつて、境界にきたときには彼らを解雇し、ここで他の人足を同じ条件で求めた。これに反してスタンレーは、その全旅行用の人足をすでに海岸で雇い入れた。ところで、アフリカの黒人は、その種族の境界をこえると、ほとんど保護をうけなくなる。したがつて、スタンレーがよその地域に入るや否や、人足にとつてはスタンレーの旅行隊が唯一の頼り場所となつたのである。かくて人足は彼の言いなりしだいになつた。彼は人足の保護者であり、そしてまさにそのゆえに、人足の絶対的な主人であり命令者であつたのである。

支配の法は経済的体制によってあたえられる

しかし、これらすべての保護関係は、被保護者もまた彼の保護者に対してなんらかの利益を提供することができる、ということを前提としている。支配は、被支配者のためではなく、支配者の利益のために存在する。非常に貧しい獵師や牧夫においてそうであるように、人間が、いくら努力しても、自分の命をつなぐのに必要なもの以上は得ることができない、というような状態にあるかぎりは、彼の主人さえもたないのである。かかる場合には支配はすこしも支配者のとくにならないであろう。したがつて、捕虜にした敵は、〈この段階では〉まだ奴隷にはしないで、きり殺すか、――例外的には――自分の部族にいれるかする。女だけは、経済的搾取のならず性的搾取の対象にもなるために、かかる発展段階においてもすでに価値をもつている。このために、女は、一命を助けられ、男が、自分の品位にかかわるかあまりに労力を要するかの理由から、自分でやろうとしない仕事に、使われるのである。

無保護ということは、それだけでまだ法的関係の基礎とはなりえない。それは無保護の者を、無主物や無主の動物と同じく、その占取者の手に委ねることになるのであるが、しかし、それは、まだ無保護の者に主人をあたえることにはならず、何人に対しても無保護の者に対する権利をあたえることにはならない。ところが、支配は、明らかに、人の単なる占有とその労働の使用とにとどまるものではない。けだし、支配は、支配者と隷属者との間の・法的に規律された関係であるからである。人的隷属の事実は、労働の経済的生産性に基くものであり、それが法秩序の一部になるのは、隷属者の労働が社会の経済的秩序にとつて決定的に重要となる、ということによつてである。非自由人の中には、農民経営における奴僕や宮廷における侍僕もあるし、運命をともにする数千の仲間と共に栽培植民地(一〇六) plantage や鉱山で働く者もあるし、独立のコローヌス(一〇七) colonus としてその主人の所有する土地の上で小作料を払つて妻子とともに小屋住みする者や、隷農として自分に貸与された地面をささやかな利益をあげながら自分の計算において耕作する者もあるし、主人の家の・教師や管理人や随身の騎士となつたり、または独立に都市で商工業を営んだりする者もある。非自由人が甲であるか乙であるかは、いうまでもなく、主人のきままにかかつているのではなくて、その国の経済的体制全体と非自由人の大多数を占める人々の素質とにかかつているのである。隷農を使つて耕作することは、第一帝政時代のローマではたしかに不可能であつたし、栽培植民地で煙草やさとうきびを作ることは、中世のドイツではたしかに不可能であつた。非自由人の法的地位は、彼が経済的体制の中にどのように編入されているか、ということにかかつている。奴僕・栽培植民地の奴隷・侍僕・コローヌス・隷農(一〇八)・用人・役人・手工業者は、同じく非自由人ではあるが、事実上のみならず法的にもそれぞれ全くことなつた状態におかれている。たしかに、このことは、ローマの奴隷制においてはきわめてわずかの程度しか表面にあらわれてこなかつたのであるが、しかし、それは、ローマの法律家が、ほとんど裁判所で適用しうる法ばかりを相手にしていたために、家の内部秩序については我々に何も書き残してくれなかつたということに、もつぱら関連しているのである。法律家的な法源にかじりつかないで碑文や文書をも利用してローマの奴隷制を記述すれば、ローマ法の法源の中ではただ暗示されているだけにすぎない・法関係の・多くの差異が、きわめてはつきりとあらわれてくるに相違ない。ローマ法ほどに抽象化を好まないような法であるならば、各人の経済的任務に対応して、非自由人の法的差異を外面的にも形にあらわすはずであり、したがつて、中世の初頭以来の大陸法における非自由人の種類は、どこにおいても、経済的体制の差異と一致しているのである。[一〇九] 荘園 Grundherrschaft と領主制農場 Gutsherrschaft というのちにあらわれた二つの類型は、経済上の経営〈のしかた〉と、隷農の法律上の取扱〈のしかた〉の対立とを意味している。個人の権利能力の範囲が、いたるところで、経済的体制中におけるその者の地位といかに関連しているかは、私の著書「権利能力論」[一一〇] „Die Rechtsfähigkeit" (フランツ・コーブラー Franz Kobler 刊行「法」叢書)の中でさらにたちいつて論じておいた。

団体の内部秩序の源としての占有

おそらく、支配なるものはどれも、法制度としては本来被支配者を占有することであつた。非自由人制はたしかに人間の強奪にはじまるのであり、結婚はおそらく女の強奪にはじまるのであり、そして、親権はおそらくつねに、まだ全く幼い間における子供の占有に基礎をもつのである。しかし、支配を占有として継続的に維持しうるのは全く例外的であるにすぎず、それは、たとえば、たえず監視の下にたち・夜は鍵をかけてとじこめておかれる・栽培植民地の奴隷の場合などである。一般に、支配は、もつとそれ以外のもの、すなわち支配体制の中に精神的に編入され組みこまれるという・被支配者の一定の心理状態を、前提としている。この心理状態を伴わないような支配であれば、たえず監視することによつてのみ存続しうるにすぎず、したがつて、大抵の場合には支配者にとつて全く価値がないのである。

物の入りこむ経済的利用過程にとつては、その物に対する権利関係が全く無関係であることは、疑いがない。キャベツを植えた農夫がその畑を無効の遺言に基いて得たとしても、その畑にはキャベツができるのであり、織機は、つむぎ糸がいかにして工場主の手に入つたかの問題に関係なく、そのつむぎ糸を織るのであり、一片のパンはそれを盗んだ者に対しても空腹をいやすのである。経済的利用過程においてただ一つ重要なものは、占有である。ゲーテ Goethe は、ヴェッツラル Wetzlar の帝室裁判所 Reichskammergericht(一二)に関する彼の考察を総括している「詩と真実」„Dichtung und Wahrheit“ の中の有名な箇所で、このことを非常に明確に述べている。これは、今までに占有保護の根拠について書かれたものの中で、もつともすぐれたものである。いうまでもなく、ここで問題となつているのは、学説として定式化された意味での占有ではなく、有名な占有理論の老大家の言葉をかりれば、「物に対する事実的支配の可能性としての」占有なのであつて、「この事実的支配は、我々の支配の意思が経験上普通に尊重されるかぎりの範囲に及んでいる。それが尊重されているかどうかは、実際生活の問題であり、この問題は諸関係のその中でもとくに客体の相異、主体の権力手段、公共の安全・公共の道徳・および経済的発展の・状態に応じて答えられるべきものである。」(一一)(ランダ Randa)。

占有は物の経済的管理である

したがつて、占有が尊重されるどうかということは、「実際生活の問題」である。その際に問題になるのは、制定法の規定ではなくて、実生活を支配している行為の規則である。賃借人・使用借主・受寄者の占有は、普通法の領域自体において、契約の相手方により「経験上通常は尊重」されていたのであつて、サヴィニーが、ローマ法では彼らにその権利がないのだ、ということを証明した後においても、このことに変りはなかつた。盗人や強盗の占有が、ローマ法のそれに関する規定にもかかわらず、普通法の領域においても「経験上通常は」尊重されなかつたことは疑いない。すなわち、盗人や強盗によつて盗まれた物を第三者が盗人や強盗の手元で発見したならば、彼は、それが可能でありさえすれば、その物を自力でとりあげ、被害者または官憲に引き渡すことを、この規定があるからといつてためらう、ということはほとんどなかつたのである。ローマではこれとちがつていたであろうか。〈もしちがつていたとすると〉窃盗や強盗をしたのは自分だということが立証されうることを知つていながら、盗人や強盗が interdictum unde vi または interdictum utrubi の訴(一一三)を提起した、という奇妙な状態までも、人々が想像しなければならなくなる。この種の実際の事件は、私の知るかぎりでは法源の中に存在していない。

占有が法的事実であるというのは、占有者が物をその経済的用途にしたがつて使用し利用する、という意味においてである。物の経済的使用においては、占有者はどこの法によつても保護されている。この保護が、ローマ法におけるように独立の救済手段によつて行われるか、あるいはイギリス法におけるように不法行為の訴(trespass)(一一四)によつて行われるか、あるいはまたスカンジナヴィア法におけるように主として刑法によつて行われるかは、どうでもよい。占有保護の大部分は、もともとどこでも刑事裁判所と警察の権限内にある。動産については、窃盗と横領に対する占有者の刑法上の保護で、現在実際に充分である。すなわち、動産について独立の占有保護手段が用いられたことは、ほとんどない。したがつて、フランス民法典では、動産についての独立の占有保護は廃止されている。もちろん、所有権に基く訴は、ドイツ民法典におけると同様に、盗難または遺失によつて物を失つた者以外のすべての占有者から何人に対しても提起しうるのであつて、それゆえにそれは占有訴権の任務をもはたしているのである。不動産については、刑法上の保護も不法行為法上の保護もあまり弱すぎるので、ローマ法およびそれに由来する大陸法においては、特別の占有保護を欠くことができない。フランス民事訴訟法においては、占有妨害排除の訴である complainte(一一五)は、瑕疵のない一年の自主占有を前提とし、そのことによつて本権の訴となつており(一一六)、本来的な占有訴権は存在しない。その結果、フランスの判決は、占有侵奪の場合に、制定法の根拠は少しもないのに、自主占有も瑕疵のない占有も要件としない・純粋に警察的な占有保護手段である・réintégrande(一一七)をつくりだした。いわく、「おもうに、暴行は文明社会においては許すことができず、そして、かかる訴権が存在しないならば、それをつくりださなければならないから。」attendu que les voies de fait ne peuvent pas être tolerées dans une société civilisée et que si cette action n'existait pas il faudrait l'inventer.

所有権は物に対するその経済的関係を前提とする

物に対する純粋に経済的な関係としての占有に、所有権およびその他の物権が対立している。所有権者は、本来は、物と経済的に無関係である。すなわち、彼は数年間物のことを気にしなくてもやはり所有権者であり、物について何も知らなくてもやはりそうである。ともかく、このことは、所有権が、少くとも部分的には、経済的影響以外の影響によつて形成されたのだ、ということを証明している。占有に対する所有権の独立は、これを徹底して考えると、法が、占有に化体されている経済的秩序を完全に無視し、所有権および物権に基く秩序のみを承認している、ということを意味することになるであろう。ローマ法においてあれほど鋭く発達した占有と所有権との対立は、やはりこのような見解へと人を誘うかも知れない。文献もまた、理由づけを必要とするものは占有保護であって所有権保護ではない、という考えを明らかにとっているかぎり、この見地にたつものである。しかし、根本となるのは、疑いもなく所有権ではなくて占有である。中世ドイツ法を一目みれば、全く圧倒的に占有（ゲヴェーレ Gewere）の上に築かれていて、所有権の上に築かれているのではないところの法秩序が、見いだされるのである。この〈占有が根本であるという〉思想の生命力は、そののちにおけるその運命が証明した。けだし、この思想は、普通法においてあらゆる抵抗を排除して進路を拓いていったばかりでなく、イギリスにおいて完全な発展をとげ、ここで世界中でもつとも取引の多い諸国民の二・三のものの必要を満足させているからである。それは新しい法典であるフランス民法典・ドイツ民法典およびスイス民法典をも支配しているのである。ところで、この法の発展全体の成果をローマ法と比較すれば、実生活にとつて重要なすべての問題において、ローマ法がドイツ法と同様に、所有権の秩序を、占有に化体された経済的秩序にできるだけ密接に適合させよう、と努力していることがわかるのである。（一一八）

所有権の秩序は占有の秩序に結びついている　ゲヴェーレは、物をその経済的用途にしたがつて利用する者に、属している。それは、少くとも不動産においては、完全に経済的秩序に結びついている。けだし、物の収益に直接または間接に関与している者や、物から経済的効用を引きだしている者は、誰でも、その物についてゲヴェーレをもつているのであつて、自分がより強い権利のあることを証明した者に対してのみ負けるにすぎないからである。そうなるまでは、彼は、経済的収益の取分を自分の権利としてもち、物を処分する権能を有しているのであり、そして、より強い権利者か沈黙によつて権利を喪失するや否や、レヒテ・ゲヴェーレ rechte Gewere に対する期待権をもつように（一一九）なるのである。したがつて、ゲヴェーレは、経済的体制が物権に根ざしているかぎり、事実上、そのときどきの経済的体制のかなり完全な表現なのである。すなわち、一定の法域内のすべての物について存在するゲヴェーレの・種類および範囲を記述することがかりにできるとすれば、それは、この法域内の経済のかなり忠実な姿を、債権によつて制約された変相にいたるまで、えがきだすことになるであろう。イギリスは、ゲヴェーレがより強い権利者によつて奪いとられるまでの間、占有者に所有権者の有するすべての権利を事実上認めることによつて、このドイツ法の基本観念をさ（一二〇）らにおし進めている。占有者は物の果実を収得し（まく者が刈る Wer säet, der mähet）、完全な法的効果をもつて物を処分することができるのであるが、自分自身の有しているよりも強い権利を譲受人に譲渡することはできない。譲受人は、彼の前権利者と全く同様に、より強い権利者には負けるのであり、その物からひきだした効用（mesne profit）（一二一）はすべてより強い権利者に引き渡さなければならないのであるが、彼の前権利者の有していたよりも弱い権利を有する第三者には誰にでも勝つのである。さらに、イギリス法は（絶対的）所有権なるものを知らず、二人の権利者の中いずれがより強い権利を有するかをつねに問題とするから、イギリスの法律家は、占有者は誰でも訴訟で物を奪われるまでの間は所有権者である、という意見をときおり述べることができる。そして結局、より強い権利を有していた者の訴権が時効にかかるや否や、占有者の権利が「もっとも強い権利」となるのである。所有権の取得時効はかかる形態の下ではもちろん存在しえない。ローマ法においては、無制約の（絶対的な）所有権概念のために、経済的見地が外観上は背後に退いているようにみえる。しかし実際には、ローマ法は、このことによって、占有者に rei vindicatio（一二二）という一定の訴権を認めないだけのことにすぎない。ローマ法は、その代りに占有者にプブリキアナ訴権（一二三）actio Publiciana をあたえ、もっとも広い範囲で純粋の占有訴権をあたえているのである。ローマ法においても、占有者は、訴訟で奪われるまでは物を保持してそれを経済的に利用することができるのであり、所有権の争いにおいてもなお有利な地位を占めている。彼は、果実を少くとも一時的には取得するのであり、そして、それを善意で消費した場合には、イギリスよりもさらに進んで、無償でそれを確定的に取得するのである。彼が営業において善意で物を利用したならば、それは彼の所有となる。これがすなわち加工に関するローマの諸規定の意味である。物について締結された契約の効力は所有権によつては左右されないし、そして契約に結びついているプブリキアナ訴権は通常は善意取得者の権利なのであるから、占有者が物を処分することもその限りにおいては可能である。そして最後に、ローマ法によると、経済的関係は取得時効によつて所有権となり、所有権に基く訴権の消滅時効によつて「もつとも強い権利」となるのである。近代大陸法はこれらすべての点においてローマ法にしたがつている。ただ盗まれた動産または発見された動産については、占有者によるそれの利用を防ぐために、近代大陸法は特別に配慮しているのであるが、しかしそれはより多く、所有権者を不利益から保護する目的のためなのである。

「手は手を守れ」の原則

ローマ法は、盗人や強盗の非経済的に取得した占有が、疑いもなく、実生活そのものにおいて法的関係としては尊重されていないのにもかかわらず、この占有に対しても占有保護をあたえている。そのかぎりでローマ法は、ドイツ法およびイギリス法以上にいで、おそらくはまた実際上の必要以上に出ている。ローマ法は、物に対する経済的関係であつて債権的関係のみに基くもの、中でも特に用益賃貸借および使用賃貸借を、占有として取り扱わない、というかぎりにおいては、これらの諸法に及ばない。しかし、全くとるに足らない例外を除けば、ローマ法は、ドイツ法やイギリス法と同様に、少くとも善意の占有者に対しては所有者の地位をあたえているのであり、しかも、およそ経済的体制にとつては一般的には善意の占有のみが問題となるのであるから、ローマ法においてもまた、ローマ法の所有権概念があるにもかかわらず、経済的要素が全面的に浸透していることが明らかである。近代の大陸法は、ドイツ法に対して歴史的発展によつて制約された二・三の譲歩をしてはいるが、一般的にはローマの占有法のかかる根本思想を採用したのである。

占有者の権利ではなくて所有権が行為の規則となつたのは、ただ一つの点においてだけである。すなわち、所有権者のみが、「もつとも強い権利」である所有権を有効に譲渡することができる、というかぎりにおいてだけである。ローマ法およびイギリス法においてすべての物を拘束しているこの原則は、大陸法においては不動産にその適用をかぎられている。この原則が支配するかぎり、譲受人はどうしても譲渡人の権利を調査し契約による担保責任によつて損失を防がざるをえない。買主の安全性は、売主の担保責任の約束にかかつており、したがつて、ローマにおいてみられるように、売主の信用能力にかかつている。すなわち、このことによつて売買がすべて信用取引となるのである。イギリスにおいては、不動産については、契約を作成し通常は売主の権利について調査をする（権限の調査[一二四] investigation of title）弁護士が責任を負うようになる。これに反して、動産については、善意の取得者への所有権の譲渡は、大陸では、一般に売主の占有があれば充分である。そのときまで占有が顧慮されなかつたところにおいても、占有に対する顧慮が前世紀の間にいかに進路を拓いていつたか、それが大陸において土地登録簿の公信力・すなわち「外部的事実への信頼」（ヴェルスパッヘル（一二五） Wellspacher）・という類似の原則にいかにして凝縮していつたか、フランスの抵当権登記簿がいかにして次第に土地登記簿になつていつたか、土地登記簿がイギリスにおいてさえ現在いかに一歩一歩前進しつつあるか、そこにおいて、最近まで公の市場（部分的には商店も入る）における売買にかぎられていた・「手は手を守れ」（一二六） Hand muss Hand wahren の原則がまた、いかに近時の立法によつて着々と地歩を固めつつあるか、を観察することはきわめて興味深いことである。

団体の内部秩序の基礎としての占有

したがつて、占有法は、経済的秩序の本来的な法であり、国民経済の生ける法ともつとも緊密に結びついている。したがつて、占有法はもつとも動きの多い法の領域の一つでもある。経済における変化はことごとく、ただちに占有法に作用を及ぼす。ローマの法律家は、占有の問題において、非常にしばしば矛盾したことを述べているが、そういう事実は、少くとも一部分は、考え方の変化によつて説明されなければならない。ドイツ法がローマ法に対してこれほどねばり強く抵抗しそしてこれほどその抵抗に成功したことは、〈占有法の〉ほかにはなかつたのであるが、そのドイツ法もやはり同様に変化していつたのである。イギリスの trespass の訴訟もまた百年ごとにその姿をかえている。十九世紀はじめにできた諸法典の占有法は、現在ではすでに時代おくれとなつてしまつている。すなわち、オーストリアの判例もフランスの判例もそれをはるかにこえて進まなければならないのである。

この意味において、実際に土地の占有関係もまた、あらゆる時代において土地の経済的体制の法的側面にほかならなかつた。狩猟民族・遊牧民族についていうと、このことは何を意味するであろうか。明らかにそれは、これらの民族が土地の所有権を一般に知らないこと、これらの民族は、その占めている地域について、自分の種族の所属員すべてに狩猟と牧畜とを許可する・種族主権だけを要求しているにすぎない、ということを意味している。最古の農業である原始穀草式農法(一二七) wilde Feldgrasswirtschaft でさえすでに、まさに耕作されている地域の占有をともなつており、その占有は少くとも法的な自力によつて守られているのである。固定した関係が生ずるのは、二耕地式農法および三耕地式農法(一二七)とともにである。すなわち、屋敷地(一二八) Hofstätte および菜園(一二八)の無制限の所有権、屋敷に居住する個々の家族に対する耕地マルク(一二八) Feldmark の分割、耕作強制 Flurzwang や相隣権によつて制限された・交錯地条(一二八) Gemengelage 内の耕地に対する所有権、アルメンデ(一二八) Allmende・すなわち森林および牧場・に対する共同所有権がそれである。これよりも集約的な農業、とくに輪作式農法(一二七) Fruchtwechsel は、封建的諸負担からの土地の解放という結果、それから、もちろんようやく最近世になつてからのことではあるが、部分的には共有マルク(一二八) gemeine Mark に対する個人的権利の発生という結果、に導いてゆく。そして最後に、貨幣経済および信用経済が、土地を取引の対象にかえ、近代の土地法をつくりだすのである。

自由な所有権と土地解放

占有の秩序と経済的体制との直接の関係、土地法と占有との直接の関係は、なるほど、ローマ法および近代の法体系の自由な所有権においては、すぐさま認識されるというわけではない。自由な所有権は、土地の上に存在するものが森林・鉱山・耕地・「借地家屋」のいずれであっても、どの土地においても一見同一であるかのように見える。このことは、ローマの土地および近代の土地が、いわば土地解放の結果としてできたものだ、ということによつて説明される。この土地解放は、ローマでは歴史の伝承以前のあまりはつきり定めることのできない時代に自由なイタリア（一二九）の土地をつくりだしたのであり、イギリスではすでに十七世紀に行われ、ヨーロッパ大陸では十八・九世紀の間に行われたのである。土地解放以前には所有権は、つねに赤裸々に姿をあらわす経済的・社会的関係の中におかれている。すなわち、村の集落内の屋敷・交錯地条内の耕地・アルメンデ内の森林および牧場、これらすべてのものはその地方の社会的秩序全体の中にはめこまれているのである。そしてこれと同様に、上級所有権者（一三〇）の請求権、利用所有権者（一三〇）の負担および義務は、その社会的・国家的地位と経済的関係全体とによつてあたえられている。かくて、所有権の範囲および内容は、ほとんど土地ごとに、法によつて積極的または消極的に規定されている。すなわち、一定の土地に対する所有権がいかなるものであるかを、所有権の概念から演繹することは不可能である。ゲヴァン(一二八) Gewann 内のすべての耕地・アルメンデ内の森林および牧場・村落内のすべての農場・すべての騎士領(一三一) Rittergut において、利用の方法および程度・隣人が要求しうるもの・隣人が許容しなければならないもの・上級所有権者が要求してよいもの・利用所有権者があたえなければならないもの、これらすべてのものが個別的に確定されている。たしかにドイツ中世におけるほどではなかつたにせよ、ローマにおいてもかつて存在していたようなこれらの制限や束縛は、土地解放とともに消滅した。

所有権の内容は経済秩序によつてあたえられる

土地解放が行われたまさにそのときから、所有権の内容について何事かを語ることは、もはや必要でなくなつてしまう。所有権者は、その隣人も上位の者をも顧慮する必要がなく、自分の好むことを為しまたは為さないことができる。このことは、所有権の内容が経済的体制全体によつて現在もはや規定されていない、ということを意味するのではもちろんない。それが意味することは、まず第一に消極的なこと、すなわち、従来支配していた一種の拘束が従来の経済体制の没落とともに同じく消滅した、ということである。所有権は今や経済的体制に協力してみずから自分の新しい法秩序をつくりださなければならない。ただし、このことは、一部分は家族法と奴隷法の領域で、一部分は隣地所有者との自由な契約(相隣法)や雇傭賃金労働者との自由な契約によつて、実現されている。法秩序は、一系列の経済政策的規定によつて、その物自体およびその経済的用途に適合した所有権法をつくりだすのである。しかし、これらの経済政策的規定はほとんど行政法の中におしやられ、このことによつて所有権法が表面上法律的に侵されないようにされる。その結果は、一定の利用ではなくて考えうべきあらゆる利用を許容する・概念上無制限無制約の・「ローマ法的」所有権となる。「ローマ法的所有権」は、法律家的な思考作業によつて社会的・経済的関係からきりはなされた所有権である。

しかし、この所有権はやはり一種の法律家的擬制にすぎない。「物の絶対的支配」という学説は、今日なおきわめて数多く講ぜられており、それは、あたかもそれによつて所有権の全内容がつくされるかのごとくであり、あたかも森林法・水法・鉱業法・農業法・建築規則・営業規則が全く存在しないかのごとくであり、あたかも森林の所有権と懐中手帳の所有権との間に「概念上の差異」が全く存在しないかのごとくである観を呈している。近代の所有権概念にとつて唯一の経験的基礎となつているところの・すべての負担や制限から最大限度に解放されている・イタリア地方の土地fundus des solum italicum[(一二九)]についてさえ、右の学説は決して正当ではない。けだし、ローマ法もまた、森林法・水法・鉱業法・農業法ならびに建築規則・営業規則なるものを知つていたからである。ただし、これらすべてのものの大部分がつたえられておらず、そうでない部分もようやく碑文やばらばらになつている法源やその他の記念物から苦労してよせ集めなければならないことは、認めなければならない。森林・水・鉱山・耕地・建物・の所有権（物権的利用権および用益賃借権も、ともかくまた使用賃借権も）が、経済的のみならず法的にも非常にことなつたものであることは、事物の性質上必然的である。それと同様に、営業的企業に属する物の総体を構成している事物の・所有権や物権的利用権や用益賃借権は、この企業の種類によつて全くことなつた内容をもたざるをえない。立法者がそれについてそれぞれことなつたことを命じたことがあつたとしても、右のことはこれとは全く無関係である。制定法の規定は、この場合には他の場合よりも一層、以前から事実上行われてきたことの沈澱物であるにすぎない。このことは、経済的用途の全くことなつている物の所有権を同一の原則にしたがつて行使することが不可能である、ということに関連している。物の経済的性質は、隣人との関係・その物の用いられている企業の内部組織・取引におけるその企業の地位を決定する。他の場所で証明されるはずであるが、所有権を利用する手段となるもろもろの契約は所有権の行使の中に含まれるものである*から、かかる契約の内容も所有権の内容を決定する。かくして、徒弟との労働契約が工場労働者との労働契約とことなつたものであることからしても、鉱山の所有権は工場の所有権とはことなつたものなのであるし、鉄道運送契約が木材伐採契約とことなつたものであることからして、鉄道企業の所有権は森林の所有権とことなつたものなのである。

特殊の経済的用途をもつた物の所有権秩序の基礎をなしている契約・に関する諸規定は、この物のために存在する特別法、たとえば鉱業法・森林法・鉄道法のごときもののまさに本質的な内容をなしているのである。

* 工場における労働日の制定法による制限は、しばしば考えられているように工場労働者の契約自由に対する制限ではなくて、工場主の所要権に対する全く適切な・制定法による制限なのである。

経済秩序への占有の編入　したがつて、占有は、どこにおいても、経済秩序の中にくみいれられることによつて、法的関係となる。人間をとりかこんでいる自然は、人間の経済的活動によつて人間の意思に服せしめられる。この意味において、占有は経済の事実的側面にすぎない。占有の対象は、その物の効用が理解されてくるとただちに増加してゆく。野獣をならすことは牧畜の発生とともにはじまり、土地の占拠は農業の開始とともにはじまる。しかし、計画的な経済は、占有のみならず占有の保護をその前提とする。けだし、貯えの集積と財の生産とによつて将来に備えることは、占有がいくらか尊重されるようになつたときにはじめて可能となるからである。そのときになつてはじめて、自分の占有を保持し・増加し・利用せんがために使用する労働から生ずる収益が、事実上も自分の手許に残るであろうということを、占有者があてにすることができるようになる。かくて、占有の秩序は、確固たる経済秩序の中において必然的に凝縮して、法的に保護された関係となる。したがつて、占有の秩序はことごとく経済的秩序の映像である。占有保護の根拠については疑いの余地がない。それは、農業・営業・工業・商業が占有の安全なくしては考えられない、という点に存する。占有の概念がローマ法的に教育された法律家にわかりにくいというのは、ただ彼らが常に、経済秩序を顧慮しないで占有を規定しようと――そういうことが全く不可能であるにもかかわらず――努力したからである。所有権が占有に基く秩序にそのまま一致するものでないかぎり、所有権の根拠を説明することは、これよりはるかに困難である。ここでは入りくんだ社会的関係が非常に強く働いているのであり、問題全体が別の関係に属しているのである。

以上のことから、法社会学にとっては、占有と所有権とは、ある程度まで相互に代りあう概念 Wechselbegriff として考えられなければならない、ということになる。制定法および解釈法学でさえもこの両者を原則として区別していないのであるから、法社会学はますますかかる態度をとらざるをえない。たとえば、財政法・鉱業法・水法・森林法または農業法において、この両者の厳密な概念分離をやりたい者は、試みにやつてみればよい。これらの法の領域において所有権についていわれていることは、きわめてまれな例外を除いては、占有に関係しているのであるし、その逆もまた然りである。これは実生活においても同様であり、ここではまさにあらゆる瞬間において占有を所有権とみなさざるをえない。占有法の中で特に占有と所有権とを扱つている部分においてのみ、両者は厳密に区別されているにすぎない。本書も、このような例外的な場合に、この区別を守ることにする。その場合には、所有権は、占有とは反対に、物の自主占有をえんがために非占有者に許されている救済手段の総体を意味するのである。

法的意思表示　我々は、今や、法的意思表示を一つの法的事実として討究すべきところにたちいたつた。法的意思表示および法的処分の事実的基礎について、それらのすべての枝葉にいたるまでここで探究することは不可能であり、かつまた不必要でもある。世界法史的な意味をもつものは二種類しかない。すなわち契約と終意処分とである。社団法における定款は元来それまでの慣習の総括か、あるいは契約の一つの変種である。それゆえ、法的事実として独立の意味をもたない。

団体の内部秩序の源としての契約　ここではまず契約だけを問題にしよう。占有が所有権や物権から区別されなければならぬと同様に、合意という単なる事実は契約からは区別されなければならない。ゲルマニスト的法学は、ブリンツがはじめてとなえた考えをさらにおし進めて、債務と責任との対立を非常な精密さをもつて示したのであるが、そうすることによつて、ただに契約の歴史学的な考察に対してのみではなく、契約の社会学的な考察に対しても、その基礎をあたえたのである。責任は債権者債務は債務者の当為であり、生活の規則により義務の内容と認められるものである。

の握取権であり、それは債務者の意思に反しても、なおかつ、債権者に満足をあたえるものである。かくて、合意は単なる事実から法的事実になり、またかくすることによつて、その意思の一致から債務のみが生じて責任が生じない場合といえども、契約となるのである。ローマ法のコントラクトゥス(一三二) contractus は債務と責任を生ぜしめるが、パクトゥム(一三二) pactum は責任を生ぜしめることなく、ただ原則として債務を生ぜしめるだけである。それゆえ、コントラクトゥスはつねに、パクトゥムは大抵、契約である。伝統的な実用法学は、占有と物権との区別に対してはローマ人にならつて充分な注意をはらつたが、契約法の領域における・これと全く同様な現象をいかに取り扱うかについては、全く途方にくれている。ローマ人はこの領域においてもまた自然債務(一三三) naturalis obligatio という概念――それはすでにヴィントシャイト Windscheid が取引社会の見解(生活の規則)にしたがつて、責任を伴わない単なる債務として正当にも評価したものである――をもつて、いくらかの予備的労作をなしていたのであるのに。

契約法の根元　契約法の一つの根元は現物交換である。それは隣人間の友好的な交通から生ずるものではない。低い発展段階では、人は氏族の中あるいは自分の村の中では契約を締結しなかつた。このことは今日でもなお家族の中では通常の現象である。財貨の交易は、分捕品や、来客と主人との間の贈物の交換によつて、媒介される。最古の商人は海賊の比較的発展したものであり、彼はいまや他国人と商売する方が他国人から強奪するより有利であることを確信するにいたつたのである。周知の最古の商売の形もまた強奪と密接に関係している。アフリカの小人族は、収穫の直前に黒人の畑に侵入し、そこにはえているバナナ・落花生・とうもろこしをもち去るのであるが、自分らの経済的活動の主要産物である乾燥肉を被強奪者に残してゆくのである。ヘロドトゥス(一三四) Herodotus やプリニウス(一三五) Plinius が伝える無言取引はいくらかより高い段階にたつている。「最古の契約は財貨の交換の契約であり、それは直接に言葉をかわさなくても締結されうる。すなわち年代記はわれわれに、おたがいに相手の言葉を了解しないロシア人と異民族との間に行われた無言取引について物語つている。」このような言葉で、ブダノフ・ヴラディミルスキー(一三六) Budanow Wladimirski は彼のロシア法史の本の中で、契約の歴史を書きはじめている。

契約法の第二の根元は他人の支配への服従である。このようなものの一つの例は、まず第一に、自己売却である。自分の経済のために種子を必要とする者、あるいは賭博で自分の支払能力をこえるほど負けた者は、裕福な主人に身をまかせてその私有民となり、主人は賃金を前払いすることによつて彼を自分の支配に収め自分のために働かせる。他の一つの種類は騎士封与(一三七)の制度であつて、それによれば、土地の受封者は、戦争に従軍し・また騎士的奉公をする・義務がある。他の種類は地代小作および賦役小作の制度であつて、それによれば、小作者は地代および賦役を課せられる。

もう一つの種類は授手託身契約（一三八）Ergebungsvertrag の制度であつて、それによつて、人は自己の身体および財産を有力家の支配権に委ね、有力家は賦役と地代とに対する引替として、攻撃に対する保護をあたえることを約束するのである。

契約はまず債務のみを生ぜしめ責任は生ぜしめない

交換においてもまた服従契約においても、契約はまず第一に占有の譲渡をその本質としており、それが、交換においては物に対する占有の譲渡となり、服従契約においては身体に対する占有の譲渡となる。しかし、占有移転とならんで、多くの場合いま一つの他の協約が結ばれる。交換契約においては交換物が盗まれたものではないという確約、服従契約においては相互的な義務履行の協定、すなわち、債務が支払われるか、あるいは労働によつて消却せしめられた場合には、ただちに債務者を解放する、という債権者の債務者に対する約束がそれである。それゆえ、ここにおいては、債務は責任によつてカヴァーされていない。なんとなれば、かかる協定に対しては責任が存在しないからである。

責任は占有に結びついている

しかし、債務は債務者の身体以外の身体を占有することにより、あるいは、契約の協定の目的物以外の物を占有することによつて、確実にすることができる。債務者が債権者に対して第三者を人質としてさしだす場合、あるいは質物を手交する場合が、それである。それまでは、責任は、債権者が支払いをうけるまで債務者あるいは債務の目的物を留置する、ということのみをその本質としていたが、いまや、契約上の義務は、契約の主体あるいは客体であるところの身体および物の占有から解放される。責任は独立のものとなり、その範囲・内容・存続期間は、債務の範囲・内容・存続期間によつて、それゆえに結局は契約によつて、定められる。債務がすでに消滅したにもかかわらず人質を解放しない債権者や質物を返還しない債権者は、人さらいあるいは盗みの責を負うことになり、それはすでに古くから、法律上訴追しうる請求権を生ぜしめている。それは、おそらく最初には死刑であつたであろう。(一三九) 返還義務の不履行のみについていえば、契約上の義務が訴えうるようになつたのは、債務不履行の義務者が刑事上有責なものとして取り扱われたことによるのだ、という非常に広く認められている見解は正当であろう。しかし、さらに進んで、義務を不完全にしかあるいは全く履行しない者は誰でもそれから生じた損害に対して責任を負う、という考えは、非常にのちになつてから、すなわち契約から生ずる直接の責任よりずつとのちになつてから、生じたものである。

契約責任のそれ以後の発展はすべて、責任の目的物の占有から責任がしだいに分離してきたこと、および責任の中に債務の内容がしだいにうけいれられるにいたつたこと、にある。ただちに自己を引き渡したり、人質をさしだしたりすることのかわりに、条件つきの自己引渡や保証が生じてくる。すなわち、債務者は、債務が履行されない場合にはじめて自己を債権者に売却するか(ゲルマン人

（一四〇）の信約 Treugelöbnis ・ローマ人の拘束行為 nexum ・古代ロシア法における無数の例）、あるいはかかる場合のために保証人を債権者にだすか、するのである。質は弱くなつて、賭事となる。すなわち価値のないものあるいは価値の少いものが象徴として渡される。これらのことによつて服従契約および質契約はだんだんと要物契約となる。その結果交換契約もまた要物契約となる。すなわち、契約の一方の当事者は、他の当事者の給付をうけたということで、すでに反対給付の義務を負うのである。のちにいたつては、一部給付の受領、さらにはついに、外観的給付（Arrha, 手付金）[一四二]の受領で充分となる。このことはやがて、受領者の責任のみではなく、自己の約束した給付に対する交付者の責任をも生ぜしめる。それとならんで、債務者が自己の約束を果さなかつたときには神の報復が自己の上に下されてもよい、という宣誓による給付の約束が、法の発展上決定的な意義を有する要式契約として、すでにこの段階において生じていたかどうかに関しては、現在までの研究状態では今なお決定されえない。元来要式的な約束はつねにもつぱら人命金または身代金 Busse の支払に関する協定を強めるために貢献したものであつた。

最後にいたつて契約が責任の範囲を決定する

これらのことは、すべてまず第一に、責任がもはや占有から生ずるのではなく、契約から生ずるものであることを意味する。すなわち債権者は占有からは独立に債権者の身体あるいは財産に対する握取権を有し、その方法および範囲は契約債務の内容によつて定められる。このすべての発展は、ゲルマン諸法については近時の研究が疑問の余地なきほどに明らかに示している。ローマ法は、はるかにのちの発展段階になってはじめて我々に知られるのであるが、〔やはり〕右の発展に関する無数の痕跡をもっているのである。(一四三)ラテン同盟 foedus Latinum 時代のフェストゥス(一四四) Festus が nancitor〔取得する〕という単語の説明として我々に伝えてくれている彼のわずかの言葉が、債務者の財産を我が物となしうる債権者の権利に関するものである、ということは全く間違いのないことだと私は考える。最古のローマの訴訟、すなわち拿捕式法律訴訟(一四五) legis actio per manus iniectionem は、歴史的時代にいたってもなお、債務者の身体に対する債権者の権利の非常にいきいきとした残存物である。債権者は債務者をみつけたらその場で彼をとりおさえ自己の牢屋に監禁する。それは人さらいでなく合法的な自救行為であるから、何ら私闘（フェーデ）をひきおこしたりしない。債務者を弁護しようとする者は誰でも、債権者ともに法務官の前に出頭しなければならない。債権者は、裁判所に出頭するまでは拿捕 manus iniectio をすることができなかった、という通説は、明らかに誤りである。我々は拿捕式法律訴訟を南部スラヴ人の間に、ウダワ(一四六) Udawa の名の下に、中世の終りにいたるまでみいだすのである。このことは、ノヴァコヴィッチ(一四七) Novakovic によって、時代の流れにつれてそれがうけた衰微の状況とともに、セルビアの学士院から発行された論文——それは主としてラグーザ(一四八) Ragusa の法源によっているのであるが——の中に非常にいきいきと描写されている。

責任が占有から全く分離し、責任の範囲が債務の内容と、少くとも原則的には、一致するにいたつてはじめて、信用契約への道が開かれるようになつた。しかし信用契約は〔逆に〕契約の完全なる価値転換をもたらす。債務者が責任を負つている反対給付について・彼を信用しうる可能性の範囲が、ますますひろがることによつて、交換契約および服従契約はその本来の特性を喪失する。自己売却から消費貸借が生じ、また賦役小作および地代小作は、人身的な隷属や労働義務をともなわない（もつともローマ法ではこのことは完全には行われなかつた）使用賃貸借契約および収益賃貸借契約へと変化する。だから、より発展した段階においては、ただ雇傭契約・賃金契約および委任のみが、かつては契約の結果人身的な隷属が生じえたということを、今なおおもい出させるにすぎない。交換契約は信用によつて諾成契約となる。

契約の諸段階　それゆえに、合意が法的事実にまで発展する過程をみる場合には、つぎの諸段階を区別することを要する。すなわち現物契約・債務契約・責任契約・信用契約がそれである。現物契約は、契約の目的物に対する占有取得を生ずるにすぎない。この場合における法的事実は契約でなくて占有である。そこから生ずる法的諸効果はすべて占有移転の効果であり、契約の効果ではない。しかし占有移転に約束がつけ加わり、この約束に債務が結びつくようになるや否や、契約は占有の交換とならんで債務を設定し、かくて独立の法的事実としてたちあらわれるのである。債権者に対して、債務の弁済に代えてその占有のうちに在る債務者の身体および財産を握取することを許すところの責任契約が生じてはじめて、責任を生ぜしめる法的事実としての契約は、占有とのあらゆる結合から、より一そう解放されるのである。

近代生活における債務契約

無方式契約の訴追可能性に関するドイツ普通法上の原則は、すべての契約が原則として債務および責任を生ぜしめるものであるということ、および責任の範囲が債務の範囲によつて定まるものであるということ、を意味する。いうまでもなく、今日もなお、すぎし大昔と同じく、コントラクトゥス contractus にならんでパクタ pacta が、責任を生ぜしめる契約とならんで債務のみを生ぜしめる契約が、存在するということは、普通法的素養をもつ法律家にとつては理解しにくいことなのである。

それゆえに、つぎのことがより一そう強調されなければならない。すなわち、経済生活において、まず第一に問題になるのは債務であつて責任ではないこと、および、生活を支配する行為規則にしたがつてその履行が期待されさえすれば、契約が訴えうるかどうかということは、大抵の場合において、ほとんど問題にならないことが、それである。原則的には契約は訴えうるものであるから、契約は訴えうるがゆえにのみ生活上守られるのである、と考えることは全くもつともなことではある。しかし、法史を見るまでもなく、近代生活を一目みれば、むしろ契約は実生活で大体守られているがゆえに訴えうるものになつたのであることがわかる。今日においてもなお、訴ええない・単に債務のみを生ずる契約が、経済上・社会上大きな役割を演じている。産業の非常に重要な部分が児童の労働に基礎をおいているが、児童との労働契約は労働保護立法ができるまではほとんどすべて〈法律上は〉有効なものではなかつたし、また現在もなお多くがそうである。にもかかわらず、そのことは児童を搾取することがつねに非常に確実な、また一般にわりのよい仕事であることを妨げはしない。少くとも、この一世紀間、株式取引所における取引のうち、非常に大きな部分が、訴追可能性の彼岸において、またときとすると、法律上の許容の彼岸において、なされてきた。中でもとくに社会的闘争や経済的活動は一連の・義務を伴わざる諸契約を生ぜしめたのである。企業家間の多数のカルテル協定、労働者の多くの賃金協定、および大多数の労働協約は、裁判所において実効をもつことはないであろう。

それゆえに歴史についてのみではなく現行法についてもまたつぎのことに留意することが必要である。すなわち、全く法の範囲外にある合意とならんで、責任ではなく・債務を意味し、官庁の執務規則ではなく・人が生活上自己の行為を定める上に規準とする規則を意味する諸契約のあるということ、およびそれらの諸契約は経済生活にとつては訴追の可能な諸契約と同様に重要であるということ、がそれである。法学はこの点をみのがしてはならない。法学はさらに進んで、訴追可能な契約といえども、それが世界を支配するしかたは、それが官庁によつていかに承認されるかによるのではなくて、それがいかに行為規則になつているかによるのだ、という事実に、注意を払わなければならない。

法史は我々につぎのことを示す。すなわち、契約が法的事実となる場合にはすべて、それによつて、人間の意思の自主独立性が認められたのではなくて、その契約が社会的・経済的生活において実際に演ずる役割が尊重されたのだ、ということである。法にとつて契約は社会的・経済的秩序の道具以外の何物でもない。契約は法的事実となるのであるが、しかもそれはそのような社会的必要が存在するかぎりにおいてのみである。そしてそれを生ぜしめた必要がなくなると同時にただちにそれはこの世から消滅するのである。タキトゥスのえがいた時代のゲルマンにおいては、抵当権つきの消費貸借など不可能であつたと同様に、今日においては、保護関係への献身や土地封与契約は不可能であろう。契約法もまた、社会的・経済的秩序の法的形式にすぎない。

団体の内部秩序の源としての相続

今までに述べてきたところは、一般に承認せられた・比較法学および法史学の成果で基礎づけることができた。ところが、これと全く同じことは相続法には通用しない。通説によれば、相続法の起源は家産に帰せしめられる。すなわち、もはや家産というものが存在しなくなつても、かつて家族共同体の一員であつた一定の親族が、奪うべからざる期待権をもつているかぎり、家産の作用がのこつているのだ、というのである。もしこの説が正当であるとするならば、相続権は他の法関係から発展したことになるのであり、したがつて、我々は、相続権をもたらした事実ではなく、親族の期待権をもたらした事実を探究せねばならぬことになる。

しかるに、すでにヘンリー・サムナー・メーン卿はこの説の正当性に対する疑問を表明した。私のみるところによれば、この説は、少くともゲルマン諸部族――この説は最初これについて唱えられたのだが――については、フィッケル Ficker によつて反駁されている。[一四九] フィッケルは、私の信ずるところによれば、つぎのことを、疑いの余地のないほどに証明した。すなわち、ゲルマン人においても、相続権の起源は期待権より古いということ、すでに親族の相続権が完成された時代においても、所有者は自己の所有物を、彼の子供達からの請求権や、いわんや遠い親族からの請求権などにはわずらわされることなく、自由に処分しえたということである。

むしろ相続法の原生史は家共同体から出発しなければならない。相続法は家に根ざしている。そしてここでは二つのことが問題になる。すなわち、まず第一に、家共同体の一員が死亡したとき、その遺産は誰に帰属するかということ、および、個人としてたとえば不自由人あるいは僕婢どもと一緒に働いていた者が死亡したとき、その遺産は誰に帰属するかということである。後者の場合はたしかに原生的社会ではきわめて稀であるし、おそらく、皆無であるかもしれない。しかし、のちにいたつて秩序ある国家の内部で個々人が生活しうるようになると、かかる場合はますます多くなるであろう。墓の中まで一緒にもつてゆけない死者の財産は、彼と一緒に働き・住んでいた家族員のもとにとどまることは理解するにかたくない。このことはもちろん動産のみにかぎられる。なんとならば、かかる秩序はすでに狩猟民・遊牧民において支配し、またそれゆえに土地所有より古いからである。家の成員は、まず死者の遺産の占有を取得する必要はない。というのは、彼らは、死者の死亡の瞬間からすでにそれを占有しているし、また彼らは、死者が生きていたときと同じ手段で第三者の侵害を防ぐことができるからである。家の成員は、遺産を依然として占有し、従来と同じように経営をつづけてゆく。大した変化はなく、ただ、今は家の中の一人がいなくなつたというだけのことである。それゆえに、ここにおける法的事実は占有である。しかし、家の成員が遺産を依然もち続けるという以上には、原始的な相続法は進歩しなかつた。だから、死者が或る団体の中に生きていたのでなかつた場合には、彼の遺産は無主物となる。ローマ人やゲルマン人にあつては、有史時代の相続法においてさえ、まだこのような状態の明らかな痕跡が存在する。しかし、もつとも重大なものはスラヴ人の間に見出される。スラヴ人の最古の法記録は、一般に、きわめて興味の深い・非常に初期の発展段階を示している。かかる発展段階は、ヨーロッパの他の諸民族にあつては、その法的伝承が文字で書きあげられるよりずつと前に通過してしまつたものであるが。十三世紀のロシア人・ポーランド人・マソヴィア人・チェッコ人・モラヴィア人にあつては、さらに多分セルビア人にあつても、傍系親族の相続権はまだ知られていなかつた。相続人なしに死んだ場合には、遺産は「無主」となつて王侯に帰属し、また隷農が死んだ場合には、それはその領主に帰属するのである。

ウィスリカ Wislica 条例[一五〇]やドゥーシャン Duschan 帝[一五一]の法典（第四一条および第四八条）のごとき十四世紀のスラヴの法書が、傍系親族の相続権を、制限された程度ではあるが、ともかくも認めているかぎりにおいては、それが既存のものの変更であることは条文の文句の上から察知されうるのである。スラヴ人においては、早急に有力となつた王侯の権力が、自分達の利害関係を考慮して、自分たちの財産帰属権の範囲をせばめる・傍系親族の相続権の形成を認めるのに長い間ためらつたことは明らかなことである。王侯の財産帰属権は、ボヘミア人およびポーランド人においては、ドイツの影響に、ロシア人およびセルビア人においては、東ローマ帝国の影響に、帰せしめることができるであろう。

団体の内部秩序の源としての終意処分　終意処分が、死後に有効な処分であるという意味を得たのは、ずつと後になつてからのことである。それ以前は、我々は、ただ、他人を家に入れ、その効果として、家長の財貨は、その死後には、家の他の成員と同じく、外から家に入つたその者にも移つてゆくのを見出すだけである。即時に引渡が行われるが死亡の時まで法律効果の発生が延期されるという死因贈与と信託行為とは、ややのちになつて発生した。後者の世界法史的意義は、ロベール・カイユメル(一五二) Robert Caillemer の劃期的労作が我々に示すところである。(一五三)ローマの相続法においては受託者は二回あらわれる。すなわち、財産買得人(一五四) familiae emptor として、および、受託者 fiduciar としてである。イギリス法の use と trust も信託行為に根ざしている。それゆえに、ここにおいてもまた、相続法は独自の特徴を有せず、それは占有の秩序に連なり、契約を利用するのである。家へのうけいれ (Arrogatio, Adoptio, Adfatomie)(一五五) は、その結果として、うけいれられた者による・死者の財貨の直接的占有を生ぜしめる。死因贈与・信託行為は、生存者間の契約として、しばしば占有移転と結びついている。遺言制度が作られてはじめて、処分行為が相続法における独立の事実となつたのである。

相続法は経済的・社会的目的に奉仕する

相続法の経済的意義は、他の法制度のそれほど、一義的であるとはかぎらない。なんとならば、この領域では、多数の流れが交錯し、おたがいに妨げ合うことがしばしばあるからである。まず第一に、経営の続行が問題である。このことは農民の家共同体をみれば全く明らかである。ここでは、経営は遺族によつて続行されるだけである。しかし、そんなことはそもそも相続法ではない。なんとならば、家共同体は不死であるからである。遺族がいない場合には、経済的団体は崩壊する。経営を続行することのできるような者がそこにはいないのである。すなわち、このことは、遺産が無主になること、あるいは王侯が国家の軍事的実力手段をたてとして遺産を我がものとすること、の別の表現であるにすぎない。しかし、遺産を、かつて家の成員であつた者・あるいは親族・に留保せんとする努力がやがて生じてくる。相続法は、経済的団体ではなく純粋に社会的な団体である家族に奉仕すべきものになるのである。その際には、たしかに、家族が死者の経営を続行するであろうという考えも働いてはいるが、しかし、実際の相続法秩序の形成を一目みるならば、親族の相続において、まさに社会的な観点がいかに経済的な観点をおしのけているかがわかるのである。イギリス法におけるがごとく、長子の相続権が優越している所にのみ、相続によつてひきおこされる分裂による、経営の破壊に対して、明らかに予防がなされている。しかし、その原動力は、ここにおいてもまた、家族に対する配慮であつて、全制度は全く非経済的に考えられていた。このことから、養子縁組やあるいは死因処分によつて経営を維持しようとする・かくも顕著な努力が生じたのであり、また後期ローマ法あるいは近代大陸法のごとき、とくに非経済的な相続法においては、遺言をすることは義務であり、遺言せずして死亡することは大なる不幸である。遺言に際してもなお、非経済的な力が働く。すなわち、終意処分によつて、相続を失うことのないように、ときとすると予め守られているところの家族への配慮、教会・福利制度への配慮、さらには死者への敬虔の念等が、働くのである。それらは全く社会的な力であつた。しかし、それらは、遺言による指定が官聴よつて認められるずつと前から、それに効力を付与したのである。

法的事実への非経済的なものの影響　経済的現象のみをみて、他の社会的現象をみのがすことは疑いもなく非常な誤りであろう。国家・教会・教育・芸術・学問・社交・娯楽等が社会生活において演ずる役割は経済的労働のそれにも劣らない。だから、私は、特に人間の諸団体や相続法を論ずるにあたつて、経済的でないものの力の意義を指摘したのである。もちろん、非経済的なものの力は、支配関係や占有や契約においても、つねにはたらいている。しかし、ここで忘れてはならないことは、経済がすべての非経済的活動の前提であるということである。国民経済が労働者の生活上必要とする程度以上の利益をあげうるかぎりにおいてのみ、国家は存立し、教会は奉仕され、教育はあたえられ、芸術や学問が営まれ、また社交や娯楽のための閑暇や手段が存在しうるのである。だから、経済秩序の理解は、他のすべての社会的秩序とくにまた社会の法的秩序の理解の基礎なのである。

始源的法的事実としての慣行　初期の社会生活における法的事実を考察してみると、もろもろの法的事実は二つのものに還元せしめられることがわかる。すなわち、慣行によつて団結せしめられ・主体として秩序づけられる・人間の団体と、団体内部において、客体として法的関係となる社会的関係、すなわち占有とである。すべての支配は、最初は、ある団体の内部で被支配者を占有することに基いていたようにおもわれる。すなわち、契約の本質は、一方的あるいは相互的占有移転、あるいは他人の占有の中に自己を献身することであり、相続法の本質は、死者の親族たちが、故人がそれまでその親族たちと一緒に占有していたものを自分たちだけでもつこと、および、故人が共同の家の中で、一人で占有していたものを、自分たちの間に分配することである。それゆえに、法はすべて次の事実から生ずる。すなわち、団体内において、団体員の身体の尊重につけ加えて、彼らの占有の尊重が起り、それが一般的秩序の基礎となり、一般的な行為規則となるという事実である。そこで、その結果、人の占有から、人に対する支配権（支配関係・家族関係）が生じ、ついには他人の給付に対する権利（人的責任）が生ずる。また物の占有から、物に対する支配権、あるいは物の個々の収益に対する支配権（所有権や諸物権）が生ずるのである。そしてついには、契約に基く・物の占有は、従前の占有者の意思表示に基く・物に対する支配権に転化する。そうして、これら後の、すべての法の発展は、団体員の身体の尊重およびその占有の尊重を命ずる規範が漸次でき上ること、およびこれが平和的な財貨の交換および財貨の取引の規範へ発展すること、また、人間の諸団体が拡大・分化して、ますます、より包括的な・より洗煉された・より多種多様な・人間の組織となること、にあるのである。

しかし、おそらくこの思想はもう少しおし進めてもよいであろう。我々の知るもつとも低い段階にある諸民族の単純な団体では、物に対する占有も、契約も、見あたらない。団体内の秩序は、もつぱら慣行の上になりたち、おそらくはまた婦人および未成年者に対する支配の上になりたつている。しかしこの支配の事実は次の事実によつて充分に証明される。すなわち、我々の知るもつとも低い段階にはあるが、ともかくすでにある一定の発展段階に達した諸民族は、性別あるいは年齢にしたがつて特殊の諸団体をつくるということである。ずつと前に消滅した太古の諸団体においては、おそらく慣行が、秩序を与える唯一の要素であつたであろう。しかし、我々の今日の社会の原生的団体においても、すなわち、家族の家共同体においても、今なお占有と契約は法的事実とはなつていない。ここでもまた、すべての秩序は慣行に基いており、その家族生活がよければよいほど、親密であればあるほど、そうである。家族関係について締結される諸契約(特に夫婦財産契約)は、初めから、家共同体が解消する場合の関係のみを規律すべきものなのである。すなわち、家族が一緒に住みうまく行つている限り、通常、契約や占有について心を痛めた者は一人もない。それゆえ、すべての法的事実の中で、慣行が唯一の根源的なものである。占有と契約とは、多くの単純な団体から構成された高次の団体においてはじめて法的事実となるのであり、かくのごとく構成された高次の団体の存在しないところでは、一般に、占有や契約はまだ存在しないのである。この二つの法的事実の中では、占有の方が契約より明らかに古くかつ根源的である、占有が団体相互間の関係を規律しない所では、それらの団体はまだ高次の秩序をもつ・一つの団体にまで結合していないか、あるいは、すでにその結合を解いてしまつたか、のいずれかであり、いずれの場合においても、それらは闘争状態にあるのである。今日でもなお、占有は、社会的結合がルースでしかないような所で平和のうちにつきあつて行かねばならないような人間の関係を、規律するのである。すなわち、汽車の中や、船中やで、場所や椅子を占領することや、あるいはカフェーで新聞を独占することなどが想起さるべきである。また切符の売場や待合室にみられる一列励行の規則は占有の規則と似ている。契約はもつとずつと親密な関係を前提としている。そして契約が単なる占有移転から解放されるにつれて、ますますそうである。現物交換を越える契約や、また、まつたく義務を伴わない合意でさえも、一般には、ただ知人間で、同種の社会的階級の人たちの間で、取引友達の間で、あるいは商売人との間で、おそらくはまた外国にいる同国人の間で、締結されるのである。

諸団体はその内部秩序を独立につくりだす　人類の経済的・社会的秩序はすべて、それゆえに、つぎに述べる少数の諸事実によつて構成されている。すなわち、慣行・支配・占有・処分（本質的には契約および終意処分）である。それらの諸事実は、それらが存在するだけで、社会を構成する人間諸団体に対し、行為の規則を定めるものである。勿論それらの規則はけつして全部が法規範であるのではない。それらは、我々の法的世界の・部分的にはまた他の規範世界の・無限に多種多様な諸現象全体を、分解した場合に生ずる諸要素なのである。この場合に、小さな人間団体はすべて、まず、まつたく独立に自己を秩序づける。そして、もし諸小団体が集るか、あるいは集められて、より大きな団体となるときには、構成された団体が、その構成要素との関係において、独自の秩序をつくりださなければならないことは勿論であるが、しかしまた、必然的に、すでにその原細胞の中にあつた秩序を、全体として受けいれ、かつ通例、それが原細胞の中で発展していたように発展させなければならない。今日ではすべて国家が秩序をつくりだすのだ、と信ずることは、明らかに非常に単純であり、かつおそろしく皮相的である。みかけでは、国家的家族法はまつたく同じであるにもかかわらず、同じ家族は二つとはない。国家の制定した市町村法は同じであるにもかかわらず、同じ市町村は二つとはない。社団法は同じであるにもかかわらず、同じ社団は二つとはない。所有権法・契約法・営業法は同じであるにもかかわらず、同じ農業経営・仕事場・工場はなく、また、同じ契約のないことは明らかである。さらに、規則や契約の文句をまつたく皮相的に見ることをしないで、それがいかに個々の諸団体において働かされ用いられているかを考察するならば、個々の区別がより明らかになつてくるのは自明の理である。重要な点は、つねに諸団体自身がつくりだす秩序の中にある。そしてまた、国家や社会における生活は、国家や社会から発する秩序よりは、諸団体自身のうちの秩序に依存することがはるかに多いのである。

諸団体の内部秩序の類似性　しかし、それらすべての非常な多種多様性のみを見て、類似性を看過してはならない。類似性は何よりもつぎの事情に基いている。すなわち、個個の諸団体の経済的・社会的生活の諸条件は、時間的にも空間的にも広い範囲にわたつて、しかしまた部分的には時や所に関係なく、きわめて似ているので、多数の同じような規則が一定の必然性をもつてそこから生じたのである。さらに、他の社会の制度を直接に借りてくるということもあろう。何とならば、内容的にいつて、すべての新団体と共に、諸規範が新たに生ずるとはかぎらないからである。どの社会においても、人間の意識の中に生きる法規範や、法以外の規範の大きな貯蔵庫があり、それは、数千年の文明の流れのうちに、すでにずつと前から成立している諸団体の中で発展して来たのである。そして新しい団体を形成した人々は、この貯蔵庫を相続して、或いは学びとつて、そこにもちよるのである。すべて後世の人々は、はるか大昔の時代にまだ非常に単純であつた諸団体のためにつくられたものを受けついだ。ただし、その大部分は採用したが、不用になつたものは排除し、また、特殊の目的のためには別のものを特につくり、また、特に、法的性質を有する組織体においては、いくつかのことが規則や契約で明確に定められた。新しい家族はすべて本質において既存の家族秩序を反映する。新らしい経済的企業はすべて、似かよつた性質をもつ諸企業の伝統的な・法的もしくは非法的な組織に、その根本原則において、従う。新たに締結された契約はすべて、その内容の大部分を、同種の諸契約の伝来の内容から借用している。しかし、その際新しい目的のために新たに生じたものが、しつかり根を下したときには、それは既存の社会規範の体系の中に編入せられ、後々の諸団体の基準として働くようになる。人類の発展とその規範世界の発展の現実の姿は、新しい欲望と新しい関係とに対する絶えざる適応の中にある。このことを明示するには、おそらく、つぎの事実を指摘すれば充分であろう。すなわち、いかに多くの新しい規範が――それは単に法規範のみではなく、道徳・習俗・名誉・良風美俗・常識、おそらくはまた少くともある意味において、礼儀作法や流行に関する規範が――最近の数十年間に、社会的な動きの結果として、その社会的動きによつて生みだされ或いは新たに秩序づけられた・多種多様な社会的組織体の内部に、発生したかということである。

社会の中で個々的に生じた事実は、社会的事実ではない。個々的な制度は、社会的規範を発生せしめることはなく、社会からは顧られないままにおわる。それは、拡大され普遍的になつてはじめて、社会秩序の構成要素たることが明らかとなるである。それゆえに、特定の種類の人間集団、たとえば、特殊な様式の家族共同生活・新しい教会・新しい政治的傾向・服従関係・占有形式・契約内容がひろく拡大するようになつた結果、それが重要かつ永続性ある現象となると、そのときはじめて、社会は、それに対する自己の態度をきめなければならなくなる。すなわち、社会はそれを排斥するか、必要とあらば撲滅するか、あるいは社会的・経済的必要を充すための適当な方法として、一般的な社会的・経済的秩序の中に取りいれるか、しなければならない。すなわち、そうなると、それは社会の新しい一つの組織形式となり、またそうなることにより、一つの社会的関係、場合によつては、法的関係ともなるのである。

訳　註

一　アントン・メンガー Anton Menger (1841—1906)　オーストリアの法学者であつて、経済学者カール・メンガー Karl Menger の弟である。ウィーン大学の教授・法学部長・総長となる。いわゆる法曹社会主義の代表者で、社会科学的認識と法学的認識とを結合し、社会主義的立場から現行法を解明しようと試みた。しかしこれに対してはエンゲルスの痛烈な批判がなされている（「法曹社会主義」一八八七年、マルクス＝エンゲルス全集第二一巻八四五頁）。主著に „Das Recht auf den vollen Arbeitsertrag“ (1886) 森戸辰男訳「全労働収益権史論」、„Das bürgerliches Recht und die besitzlosen Volksklassen“ (1890) 井上登訳「民法と無産者階級」がある。

二　ガイウス Gaius　二世紀のローマの法学者。法学隆盛時代における代表的法学者の一人で Institutiones の著をもつて名高い。これには、末松謙澄訳ならびに註解「ガーイウス羅馬法解説」（大正三年、訂正増補大正一三年）、春木一郎訳「ガーイウス羅馬私法講義案」（法学協会雑誌三二巻四号乃至三四巻一〇号、大正三年乃至五年）、船田享二訳「ガイウス法学提要」（昭和一八年）の三種の邦訳がある。詳細は前掲船田訳の前言参照。

三　ディゲスタ Digesta　註二六参照。

四　註釈学派 Glossatoren　十二世紀はじめイタリアのボローニャに起つた一学派。ボローニャ学派とも呼ばれる。その研究方法は、個々の法文に対する註釈よりしてローマ法の全体系をとらえることを旨とし、難解語の説明、抵触法文の調和、関係法文の綜合、事件の例示、各章の要約、概念の区別等に従事した。この学派に属する学者としては、祖 Irnerius（1055—1130）のほか、Balgarus, Martinus, Jacobus, Hugo, Vacarius, Placentinus, Azo, Accursius, Odofredus 等とくに有名である。イタリアのみならずヨーロッパ諸国よりボローニャの地に学ぶ者はなはだ多く、十三世紀初頭には一万人の学生を算したといい、また Vacarius はイギリスに、Placentinus はフランスにそれぞれローマ法を講ずるなど、この学派の影響は世界的であつた。なおこの学派のあとをうけて十三世紀中葉以後いわゆる後期註釈学派（註五参照）が起つた。詳細は栗生武夫「註釈学者の群像」（「法の変動」所収）参照。

五 後期註釈学派 Postglossatoren　前註の註釈学派の後をうけ十三世紀中葉以降イタリアの各地に起り、十四世紀隆盛をきわめたローマ法研究学派である。この学派が研究の対象にしたのは、ユスティニアーヌス帝（註三〇参照）制定のローマ法典（註二六参照）自体にあらずして、註釈附ローマ法であり、これに対しスコラ哲学の演えき法を適用して法律体系を建設し、ローマ法を当時イタリアの実生活に適合する法として実用化することを主たる任務とした。この学派の代表者としては Cinus（1270—1336）, Bartolus（この学派最大の代表者、ためにこの学派は彼の名にちなんで一にバルトリステン Bartolisten とも称せられる）、Baldus 等の名があげられる。

六 十六・七・八世紀の偉大なフランス人たちや上品なオランダ人たち　前者は、Cujacius（1522—90）および一群の啓蒙思想家、中でも Voltaire（1694—1778）, Montesquieu（1689—1755）, Rousseau（1712—78）等を指し、後者は Grotius（1583—1645），Spinoza（1632—77）等を指すものとおもわれる。

七　十七世紀のドイツの公法学者たち　Althusius（1557—1638），Conring（1606—81），Pufendorf（1632—94），Thomasius（1655—1728）等を指すものとおもわれる。

八　フォーテスキュー Sir John Fortescue（1394—1476）　イギリスの裁判官で King's Bench の長であつた。主著は死後に出版された "De laudibus legum Angliae"（イギリス法論）である。

九　ブラックストン Sir William Blackstone（1723—80）　英国の法学者。ユスティニアーヌス帝の Institutiones（註一二六参照）を基礎として、普通法の最後の体系的著述たる "Commentaries on the Laws of England"（4 vols., 1765—69）をあらわした。国家に対する個人的自由を説いた。

一〇　respondere, cavere, agere　古代ローマにおいて法学者の活動は、

（1）当事者の求めに応じて法律上の問題について意見や回答をあたえること（respondere）

（2）当事者のためにその欲するような効果の発生に必要な方式を作成すること（cavere）

（3）当事者のためにその提起すべき訴訟の方式の選択および作成に助力すること（agere）

の三種であるとされた。すなわち法学は実際生活と密接な関係を保つていたのである。

一一　conveyancing　イギリスにおいて、権利譲渡証書を作成して行う土地に関する権利移転の方式である。イギリスにおいては、以前登記制度がなく、土地に関する権利については多大の専門的技能を要したため、この方式が生じたのである。

一二　ローマ法の継受 Rezeption des römischen Rechts　ドイツでは十三・四世紀の頃に、後期註釈学派に

よつて実用化された註釈附ローマ法が輸入され、とくに一四九五年の帝室裁判所条令 Reichskammergerichts-ordnug 以後は、特別の立法や慣習の存在しない場合に裁判所で適用される普通法 gemeines Recht となつた。これをローマ法の継受という。その原因としては、当時のドイツにおける諸邦の分立による法制の分裂があげられているが、それが同時に支配層の地位の確立に奉仕するものであつたことも否めない。そして、北イタリアの大学に学んだドイツの法学者が、ドイツ諸都市に建設された大学で指導的地位に立ち、そこで学んだ裁判官の活動とあいまつて、ローマ法の普及に努めたのであつた。

一三 パウルゼン Friedrich Paulsen（1846—1908） ドイツの哲学者でカントの影響をうけた者であるが、同時に教育学者としても知られ、ドイツの大学教育についての著書がある。本文の言葉は、„Geschichte des gelehrten Unterrichts auf den deutschen Schulen und Universitäten"（1885；3 Aufl., 2 Bde., 1919—21）又は „Die deutschen Universitäten und das Universitätsstudium"（1902）のいずれかにあるものとおもわれる。

一四 ロトマル Lotmar ドイツの法学者。その „Der Arbeitsvertrag nach dem Privatrecht des deutschen Reichs"（2 Bde.: I 1902; II 1909）は労働契約法に関する最初の著作として名高い。ここでは一九〇二年におけるその第一巻の出版を指している。

一五 メイトランド Frederic William Maitland（1850—1906） イギリスの偉大な法史学者。ドイツの歴史法学派の影響をうけた。主著はポロック Pollock と共著（大部分メイトランドの筆になる）の "The History of English Law before the time of Edward I"（2 vols., 1895；2 ed., 1899）である。

一六　法の錯誤に関する理論 die Lehre von Rechtsirrtum　法律を知らないために、自分の行為が罪にならないと思つてある行為をした場合に、その行為者に故意があるかないか、したがつてその行為者が罰せられるかどうか、という問題を論ずるのが、法の錯誤に関する理論である。一般には「法律の錯誤はゆるされることなし」という法格言にしたがつて、法の錯誤は故意を阻却しないと解されているが、ドイツの学説は多くこれに反対して故意を阻却するものとする。その他こまかい点についてもドイツおよび日本において種々の学説の争がある。

一七　ビンディング Karl Binding (1841—1920)　ドイツの刑法学者。応報刑理論を主張し、旧派の代表者として新派のリストと鋭く対立した。主著は „Die Normen und ihre Übertretung" (Bd. 1, 1872, 3 Aufl., 1916; Bd. 2, 1877, 2 Aufl., 1915—16; Bd. 3, 1918; Bd. 4, 1912—20) であつて、その第三巻は「錯誤論」„Irrtum" と名づけられている。

一八　マックス・エルンスト・マイヤー Max Ernst Mayer (1875—1923)　ドイツの法学者で刑法および法哲学を専攻した。刑法では応報刑理論と目的刑理論を折衷しようとし、法哲学では西南ドイツ学派に近く、文化概念を強く主張し、法規範の背後に文化規範の存在することを説いた。主著は „Rechtsnormen und Kulturnormen" (1903) である。

一九　サヴィニー Friedrich Karl von Savigny (1779—1861)　ドイツの法学者。歴史法学派の樹立者として、またその代表者として、あまりにも有名である。主著は „Das Recht des Besitzes" (1803), „Vom Beruf unserer Zeit für Gesetzgebung und Rechtswissenschaft" (1814) 邦訳「立法及び法学に対する現代の使

命」（早稲田法学別冊一巻「サヴィニー・ティボー法典論議」所載）、,,Geschichte des römischen Rechts im Mittelalter"（6 Bde., 1815—31）, ,,System des heutigen römischeu Rechts"（8 Bde., 1840—49）である。

二〇　プフタ Georg Friedrich Puchta（1798—1846）　ドイツの法学者。サヴィニーと並んで歴史学派の樹立者である。主著は,,Das Gewohnheitsrecht"（2 Bde., 1828—37）, ,,Lehrbuch der Pandekten"（1838）である。

二一　ヨーゼフ二世 Josef II（1741—90, 在位 1780—90）　神聖ローマ皇帝であつて、啓蒙専制君主の一人である。各種の改革を企て細かい法令を作つたが、のちにトルコと戦つて敗れ、また領内各地に反乱を招き、充分の成功を収めることができず、一七九〇年には旧制度の大部分を復活するのやむなきにいたつた。

二二　市民法 ius civile　古代ローマの用語であるが、これには二つの意味がある。一は、他国民にも共通する法である万民法 ius gentium に対するものであつて、ローマ市民にのみ適用される法を指す。他は、法務官その他の裁判を司る政務官の告示によつて形成された名誉法 ius honorarium に対するものであつて、法律又は古来の慣習に基く法を指す。ここでこれを後者の意味に使つており、しかもその中から法律を除いて、古来の慣習に基く法だけを指していつているのである。

二三　法律 lex　ローマでは、古来の慣習に基く法のほかに、共和政の発達とともに、政務官の提案に基いて民会が議決した法律がしだいに増加していつた。この法律が lex であつて古来の慣習とならんでローマ人を規律する法となつたのである。

二四　法書 Rechtsbuch　ドイツ法制史上の限定された意味では、とくに中世において法の分裂、統一的立法の欠如、著述熱等にうながされてあらわれた法律書をいう。これらは元来私人の著作であつて、法典ではないが、法典同様公の権威を認められたものが多い。その内容によりラント法書・封建法書・都市法書等の各種があるが、いずれも中世法を知る上にもつとも重要な体系的な法源である。ザクセンシュピーゲルはその代表的なものである。

二五　条例の規定 statutarische Bestimmungen　条例 Statut とは狭い地域に適用される自治的立法をいうが、ここではとくにドイツ中世の諸都市法を指している。

二六　ローマ法大全 corpus juris civilis　市民法大全とも訳されている。東ローマ皇帝ユスティニアーヌスは武において帝国の版図を拡張するとともに、文においては当時混乱せる法律を統一整備するがため一大文法事業を起すにいたつた。

（1）Digesta または Pandectae（学説集成、会典）　帝は五三〇年、主としてローマ法学隆盛時代（紀元後一世紀ないし三世紀）の法学者の著書を資料とし、その実用あるものを採録しかつ修正を加えて法典に編集することを命じ、五三三年一二月六日をもつて公布、同三〇日施行した。Digesta または Pandectae と称せられるものこれである。全五〇巻、各巻は原則として章に分れ、各章はさらに同一事項に関する規定を盛る節に分れ、節中に法学者の法文を書名巻数を記して配列する。

（2）Institutiones（法学提要）　右の Digesta 編集とともに、帝は初学者のための教科書たりかつ法典の効力を有する Institutiones を編集せしめ、五三三年一一月二一日公布、同一二月三〇日 Digesta の施行と同日をもつて施行した。これはガイウス Gaius の私著 Institutiones を主たる資料とするもので、全四巻、第一巻は人の法、第二および三巻は物の法、第四巻は訴訟法、刑法および刑事訴訟法を説く。

（3） Codex（勅法集成） 右の Digesta および Institutiones の制定にさきだち、五二九年四月帝は、帝以前の古い三勅法集成（Codex Gregorianus, Hermogenianus, Theodosianus）およびその後の勅法を資料として編集せる一法典——Codex Vetus（旧勅法集成）と称せられる——を公布施行したが、この Codex Vetus は、その編集後における新勅法の発布、Digesta および Institutiones の制定によつていくた修正を要することとなつた結果、ここに Codex repetitae praelectionis（新勅法集成）——単に Codex と称せられるものこれである——の制定をみるにいたつた。すなわちこの Codex は五三四年一一月一六日公布、同一二月二九日施行、内容はハドリアーヌス帝の時代より五四四年にいたる間の勅法を含み、全一二巻、各巻は章に分れ、章中勅法を事項別に分類し、発布の年代順に配列する。

（4） Novellae（新勅法） 以上 Digesta, Institutiones, Codex の三法典制定後も帝の立法活動はやまず、帝の崩御まで計一五八の勅法の発布を見た。これらの勅法がすなわち Novellae Constitutiones あるいは略して Novellae——Codex 制定後に新たに発布せられた勅法という意味——と称せられるものである。ただしこの Novellae は帝の生前に一体として編集せられたわけではない。

以上 Digesta, Institutiones, Codex および Novellae の四者を総称してローマ法大全 corpus iuris civilis という。これは十七世紀 Dionysius Gothofredus が右の四者を一体として刊行するにあたり、教会法大全 corpus iuris canonici（註二七参照）に対抗して附した名称である。

二七 教会法大全 corpus iuris canonici 教会法の法源の集大成であつて、ローマ法におけるローマ法大全

corpus iuris civilis に対比すべきものである。

（1） Decretum Gratiani（グラティアーヌス法令集）　一一四〇年頃ボローニャの修道僧 Gratianus の著にかかる教会法令集であるが、内容はその実ボローニャ大学における彼の講義案にほかならず、当時の現行教会法が総括的に叙述されている。

（2） Liber Extra　Decretum Gratiani 以後に発布された歴代法皇の訓令の集成。一二三四年法皇グレゴリウス九世の編集。

（3） Liber Sextus　Liber Extra 以後における諸法皇の訓令の集成。一二九四年法皇ボニファティス八世の編集。

（4） Clementinae　法皇クレメンス五世が編集した訓令集。一三一七年の公布。

の四法典より成る。十五世紀にいたり、右の四法典は当然に各国のキリスト教信徒を拘束するが、四法典以後の法令は各国民の特別の承認を経ぬかぎりその国民を拘束する力を有しないという理論が起り、一四一四年コンスタンツ、一四三一年バーゼルの両宗教会議はこの理論を宣言すると同時に、右の四法典に corpus iuris canonici clausum（完結教会法大全）なる名称をあたえ、ここに corpus iuris canonici の成立をみた。注意すべきは、この corpus iuris canonici なる名称は右の四法典を一括せる便宜的名称であつて、四法典はそれぞれ各別の名をもつて通用したということである。一五〇〇年フランスの学者 Johann Capius は彼の刊行にかかる corpus iuris canonici 中に右の四法典のほか二つの拾遺令編（Extravagantes Johannis XXII, Extravagantes Communes）を添加した。これを corpus iuris canonici non clausum（広教会法大全）と称するが、通常の刊本はこれである。corpus iuris canonici は一九一七年 Codex iuris canonici（教会法典）が公布されるにいたるまでの公の教会法源集であつた。

二八 黄金文書 Goldene Bulle　一三五六年にドイツの有力な諸侯が皇帝カール四世にせまつて発布された文書であつて、金の封印がなされているところからこの名をもつて呼ばれている。主たる内容は、七選帝侯を終局的に皇帝の選挙権者としたことであつて、憲法の端緒的なものとして一八〇六年までその効力を有した。

二九 回答権 res respondendi　ローマにおいて有力な法学者に対し皇帝が賦与した権利であつて、その法学者が個々の事件についてなした回答は裁判官を拘束するものとされたのである。法学者の回答（註一〇参照）は、共和政時代から当事者によつて有力な証拠として裁判所に提出されていたのであるが、アウグストゥス Augustus はその中で皇帝の検閲を経たものに対しては個別的に皇帝の権威による回答として権威をあたえた。そして、ティベリウス Tibelius のときにいたつて、かかる権威ある回答をなす権利が特定の有力な法学者に対して包括的にあたえられるにいたつた。すなわち、回答権は帝政と結びついて発達したといえるのである。

三〇 ユスティニアーヌス Justinianus（483—565）　東ローマ帝国の皇帝で、専制的な政治を行つた。ローマ法大全（註二六参照）を編集したことで有名である。

三一 Codex（註二六参照）I. 14, 12, 5 からの引用。

三二 ベーゼラー Georg Beseler（1809—88）　ドイツの法学者。ドイツ固有法（ゲルマン法）の研究の最初の大成者といわれる。ドイツ普通法におけるローマ法およびローマ法学の支配的勢力に対抗し、ゲルマン法の歴史的精神に徹して、その法源ならびにその近代立法における顕現に関する研究を綜合大成して、ゲルマン法の尊重すべきことを説いた。その著「普通ドイツ私法体系」„System des gemeinen deutschen Privatrechts“ (3 Bde., 1847—55) はゲルマン法研究のすぐれた著述である。

三三 ゲルマニスト Germanist　ロマニストまたはローマ法派に対する言葉であつて、ゲルマン法派ともいわれる。ドイツにおける歴史法学派が、法の歴史性と民族性とを強調して、法史的研究に重要な貢献をしたにもかかわらず、その研究対象はほとんどもつぱらローマ法にかぎられていたのに対し、真に歴史法学派の主張を徹底するならば、ドイツ民族固有の法であるゲルマン法の研究をすべきであるとして、歴史法学派の中から分裂していつた学派の人々を指す。その最初の代表者は、ベーゼラー（註三二参照）であつて、この提唱に追随してゲルマン法の徹底的研究をしたのがギールケ（註四一参照）である。なおベーゼラー以前においても、すでに十三世紀においてはアイケ・フォン・レプゴウ Eike von Repgow あり、また歴史法学の初期にはゲッシェン Göschen、グリム Grimm、アイヒホルン Eichhorn 等があり、これらの人々も広くゲルマニストといわれることもある。

三四 地方的特別法 partikuläre Gesetzgebung　ドイツ全土に共通に適用のある普通法 gemeines Recht に対する概念で、特定地方にのみ適用せられる法、すなわち各都市法・ラント法などを意味する。沿革的に見れば、普通法が外来のローマ法であるのに対して、地方的特別法はドイツ固有法的なものであり、効力については地方的特別法が普通法に優先し、「都市法はラント法を破り、ラント法は普通法を破る」Stadtrecht bricht Landrecht, Landrecht bricht gemeines Recht というような原則があつた。

三五 ブルンス Karl Georg Bruns (1816—80)　ドイツの私法学者。ヘルムステットに生れ、一八四四年以来ベルリン、ロストック、ハレ、チュービンゲンの教授を歴任した。その主著「中世および現代における占有法」„Das Recht des Besitzes im Mittelalter und in der Gegenwart“（1848）において占有権についての慣習法の研究を発表した。

三六　フィッティング Hermann Fitting（1831―1918）　ドイツの私法学者。一八五六年以来ハイデルベルク、バーゼル、ハレの各大学において、ローマ法および民事訴訟法の講義を行つた。その著作としては、民事訴訟法に関するもののほか、「共同債務の性質」„Die Natur der Korealobligationen“（1859）、「軍事特有財産」“Das Castrense peculium”（1871）などがある。

三七　ヴィントシャイト Bernhard Josef Windscheid（1817―92）　十九世紀ドイツにおけるパンデクテン法学の解釈的理論構成の大成者。その著「パンデクテン法教科書」„Lehrbuch des Pandektenrechts“（1862―70）はその博引傍証、理論的精確と実際的考慮との調和、その理論構成の精確なる体系化とにおいてパンデクテン法学の集大成といわれ、判例に多大の影響を及ぼした。彼は後年ドイツ民法典の起草委員となり、その学説は同法にとり入れられ、現在にまで影響を及ぼしている。

三八　ベール Otto Bähr（1817―95）　十九世紀ドイツの政治家にして法律家。最初一八六七年から八〇年まで国民自由党の党員として活躍、代議士にもなつたが、のちに一八七九年から八一年までライプチッヒで判事をした。彼の著作としては、民事訴訟法に関するもの、行政訴訟に関するもののほか、「ドイツ民法典草案に対する修正案」„Gegenentwurf eines bürgerl. Gesetzbuchs für das Deutsche Reich“（1892）がある。

三九　ブリンツ Aloys von Brinz（1820―87）　十九世紀ドイツのパンデクテン法学者。エルランゲン、プラーグ、チュービンゲンおよびミュンヘンの教授を歴任した。その主著「パンデクテン教科書」„Lehrbuch der Pandekten“（2 Bde., 1857—71）はもっとも有名である。債務と責任の区別を最初に示唆した。

四〇 イェリネック Georg Jellinek（1851—1911） ウィーン、バーゼル、ハイデルベルクの諸大学に歴任した公法学者。「法律と命令」„Gesetz und Verordnung“（1887）、「公権論」„System der subjektiven öffentlichen Rechte“（1892）その他多くの名著があり、とりわけその主著「一般国家学」„Allgemeine Staatslehre“（1900）は当時の政治学・公法学の標準的な作品で、諸国に（わが国にも）多くの影響をあたえた。その初期の作たる「法・不法および刑罰の社会的倫理的意義」„Die sozialethische Bedeutung von Recht, Unrecht und Strafe“（1878）（岩波文庫訳あり）は法律哲学史上重視されている。本文に引用された議論は「一般国家学」の三五六頁以下に展開されている。

四一 ギールケ Otto Friedrich von Gierke（1841—1921） ドイツの法学者。一八七二年ブレスラウ大学教授となり、のちハイデルベルクに転じ、八七年以来ベルリン大学教授であった。主著は「ドイツ団体法論」„Das deutsche Genossenschaftsrecht“（4 Bde., 1868—1913）および「団体理論」„Die Genossenschaftstheorie“（1887）で、ゲルマン法的な仲間的団体 Genossenschaft 思想の歴史的および実際理論的研究として、多大の影響をあたえた。なお「ドイツ私法論」„Deutsches Privatrecht“（3 Bde., 1895—1917）はゲルマン法的立場からドイツ私法を体系化したものとして有名である。

四二 オーギュスト・コント Auguste Comte（1798—1857） フランスの哲学者、社会学の祖、実証主義の創唱者。はじめ社会主義者サン-シモンの弟子となったが、思想上の疎隔から断交し、自宅にて自己の思想体系を講じた。一八三二年には理工科学校にも就職し、生涯の大著「実証哲学講義」“Cours de Philosophie Positive” (6 vols., 1830—42) を完成した。彼の中心問題はフランス革命後の社会の再建にあり、そのために社会について数学および物理学のような正確さを有する科学を必要なりとして、「社会学」(sociologie は彼の造語)を創始した。そして、社会学の対象は人類全体であり、それは静学および動学に分れるが、そのうち前者は社会秩序を、後者は社会進歩を研究するものであるとした。

四三 十二表法 XII Tafeln　記録に伝えられているローマ最古の法典である。貴族と平民の抗争の結果生れたものであるが、その成立年代ははっきりせず、大体紀元前四五〇年頃の制定といわれる。各種の規定があるが、従来の慣習に由来する規定も、新しく制定された規定も、ともに含むとされている。全部で十二の部分からなり、その各部分が表 tabulae といわれるため、十二表法と呼ばれている。

四四 家内相続人 sui heredes　元来ローマでは、相続人は死者の権力に服していた家の成員にかぎられていたと考えられる。かかる相続人を家内相続人という。家外の親族に相続権のあることは十二表法にはじめてみえるのである。

四五 フォン・ドゥンゲルン v. Dungern (1875—)　法学者であり系譜学者でもあつた。オーストリアのブコヴィナにあるツェルノヴィッツ大学におけるエールリッヒの同僚である。ドイツの等族の歴史を主として研究した。„Der Herrenstand im Mittelalter“ (1908), „Das Staatsrecht Ägyptens“ (1911) 等の著書がある。本文中のちにエジプトの国法に関する著書としてでてくるのはその後者である。

四六 ホメロス Homeros　ギリシャ最古の大詩人で「イリアス」Ilias、「オデュッセイア」Odysseia の二大叙事詩の作家である。

四七 スカンディナヴィアのサガ skandinavische Saga　サガとは古代北ヨーロッパ人の伝説をいう。それは古代アイスランド人の自分の家に関する伝承から成長し、のちには芸術作品にまでなつた。その中では古代北ヨーロッパ人の日常生活・祭・法・私闘等について語られている。それに語られているできごとは九世紀後半から十一世紀前半のことであつて、口で語り伝えられ、それが最初に記録されたのは大体十三世紀だといわれる。

四八 タキトゥスのゲルマニア taciteische Germania　周知のごとく Cornelius Tacitus (50—116) はローマの大歴史家であり、とくに著書「ゲルマニア」"Germania" はゲルマン民族に関する詳細なる文献の最大のものである。邦訳の田中秀夫・泉井久之助共訳「ゲルマーニア」(刀江書院)がある。

四九 身代金 Busse　古代ゲルマン法において、不法行為により人の生命・身体・財産等が害されたときは、被害家共同体は加害家共同体に対して報復しまたはその代りに罪ほろぼしの契約 Sühnevertrag を結んで身代金を請求することができた。この身代金を殺人の場合には人命金 Wergeld といい、その他の場合に Busse, compositio と称した。Busse は広く Wergeld を含む意味にも用いられる。のちには、その額も一定された。今日の観念からすれば、損害賠償の性質を有する私的罰金であるといえよう。その額の三分の二は被害家共同体に、三分の一は平和をとりもつた裁判官にあたえられたといわれている。

五〇 ビザンティン法 bizantinisches Recht　ローマ帝国は、コンスタンティヌス帝 Constantinus が三三〇年都をローマからビザンティウム Byzantium にうつして、これをコンスタンティノポリス Constantinopolis

と改めたのち、三九五年テオドシウス帝のときに東西両帝国に分裂する。これにともなつて、古典時代のローマ法も、しだいに変形をうける。この東ローマ帝国すなわちビザンティン帝国において変形をうけたローマ法を古典時代のローマ法と区別してビザンティン法と呼ぶのである。そしてこのビザンティン法はユスティニアーヌス帝の法典編集によつて古典時代のローマ法と別の法体系を完成するにいたつた。ビザンティン帝国と密接な関係をもつスラヴ人はビザンティン法の影響をうけている。

五一　相続財産分割の訴 actio familiae herciscundae　相続は、元来ローマでは家内相続人の包括承継であり、相続人が数人ある場合にはそれらの者は相続分を有するにすぎず、相続財産を分割することはなかつた。十二表法は、家内相続人のない場合には、最近の宗族が相続することとしたが、この場合には、家内相続人の場合とことなり、財産を分割する必要があつた。そこで十二表法はまた相続財産分割の訴を規定したのである。

五二　モムゼン Theodor Mommsen (1817—1903)　ドイツの史学者。一八四八年ライプチッヒ大学のローマ法教授となつたが、五〇年に民主々義者のゆえをもつて辞職、チューリッヒ、ブレスラウを経て五八年よりベルリン大学の古代史教授となる。ラテン碑文大全の編集を指揮。政治上ではビスマルクの有力な敵であつた。不朽の名著「ローマ史」„Römische Geschichte“ (Bd. 1—3, 1854—55; Bd. 5, 1885) 四巻をあらわす（第四巻は原稿焼失のため世にあらわれなかつた)。その他 „Römisches Staatsrecht“ (Bd. 1—2, 1875—76; Bd. 3, 1887—88) などの著書がある。

五三　ラテン碑文大全 Corpus Inscriptionum Latinarum　モムゼン（註五二参照）が、ヨーロッパ・近東・エジプト方面に残存するラテン語の碑文を徹底的に集めて刊行したものである。一八六三年に第一巻が出て以来、一九三二年までに一五巻が出ており、なお続刊中である。モムゼンのなした最大の仕事といつてもよいものである。

五四　ドイツ国会 deutscher Reichstag　中世のドイツにおいて王とならんで存していた等族的な組織体である。はじめは王が勝手に相談する諮問機関にすぎなかつたが、しだいに王権を制限するものへと変つてゆき、十二世紀頃には憲法的な制度となつた。その議員は諸侯や高僧であるが、のちには都市の代表も入ることになつた。国の重要な事件に関与した。

五五　マグナ・カルタ Magna Charta Libertatum　イギリスにおいて一二一五年に諸侯や都市代表者がジョン王にせまつて承認させたもので、訳せば「自由の大憲章」ということになる。その内容は、王の勝手な行動を抑えようとするものであつて、過重の賦課をしないこと、都市の特権を尊重すること、刑を課するには裁判によること、商人の安全を保証することなどを含んでいる。この精神はその後のイギリスの発展の基礎をなした。

五六　領主制農場 Gutsherrschaft　主として東部ドイツに行われた封建的土地所有の歴史的形態であつて、荘園 Grundherrschaft（註一〇九参照）と対立する。元来、荘園においては、領主の直営地はわずかであつて、隷農はそこで領主の自家消費のために賦役をしたにすぎなかつたが、十二世紀後半頃から市場生産が行われるようになると、東部ドイツでは領主は自分の手にできるだけ多くの生産物を収めようとして、その直営地を増し賦役を重からしめた。すなわち、直営地と隷農への貸与地との割合が荘園とは逆になり、その結果隷農の隷属が強化された。これがいわゆる領主制農場である。

五七　マルク共同体 Markgemeinde　古代ゲルマン人がマルク共同体といわれる一種の農業共産体制度の下に住んでいたかどうかが十八世紀以来争われている。Möser が問題を提起して以来、Below, Dopsch, Wührer, Lütge 等が研究してきたが、通説は Below の説にしたがつて、共産制を肯定する。之に対して Wührer 等は個人的色彩を強調している。Below の „Geschichte der Landwirtschaft" に詳しい。

通説によれば、マルク共同体は、原始共産体たる氏族制度の最後の発展段階に属し、農耕をもつて主たる生活資料獲得方法とし、生産手段たる土地を総有し、各成員間の平等にその基礎をおく共同体である。したがつて、それは土地耕作がはじまるとともに発生し、その起源は有史以前にさかのぼる。のちには、生産力の発達のためにしだいに解体しはじめ、内部的には役職の世襲、貴族の成長等があり、土地私有化の傾向が著しく、荘園の成立とともに解体した。

五八　土地貸与証書 Verleihungsurkunde　封建制度は土地の貸与関係——たとえば諸侯の騎士に対する関係——の上になりたつていたが、それにも普通には一般的な法則はなく、個々別々にとりきめられたものであつた。その際における土地貸与契約の証書が Verleihungsurkunde である。

五九　Bewidmung　中世において各都市はそれぞれ独立に自分の条例をもつようになつたが、大部分の都市の条例の内容は他の都市の条例を参照したものであつた。そして、独立で、都市自らの手で条例を作り出した都市は極めて少かつた。かかる少数の都市の条例の内容が他の都市によつてまねられたのである。たとえばB市の条例の内容がA市の条例の内容によつている場合、A市とB市との条例の間は親子に似た関係であつた。かかるときに、AとBとは Bewidmung の関係にあるといわれた。Brunner = Heymann, „Grundzüge der deutschen Rechtsgeschichte", S. 104ff.

六〇 Urbarien　中世のハンガリーにおいて、荘園領主と隷農との関係を規律した王の勅令である。適訳がみつからなかつた。

六一 土地台帳 Traditionsbuch　古代ゲルマンにおける土地の譲渡は、所有権移転の合意 sala と土地占有の引渡 vestitura の二つの行為によつて行われた。それは、ときとともに、またローマ法の影響の下に、簡易化されたが、近世にいたりローマ法の継受の結果、無方式の引渡で足りることになつた。もつとも、各地方は、その固有法を維持したものが多いとはいわれている。ところで、その場合に、土地の移転した旨を裁判官や裁判所に通知するところもあつたし、また一定の帳簿に登録しなければ担保に入れられないところもあつた。この場合に、土地の移転を登録するのが土地台帳である。

六二 都市の帳簿 Stadtbücher　中世の都市において、法的に重要な文書は、本の形とされ市の書記が管理した。それには普通三種類あるといわれている。

(1) Statutenbücher　都市の条例を集めたもの。

(2) Justizbücher　訴訟事件の記録等を集めたもので、今日の登記簿の起源もここにあると言われている。

(3) Verwaltungsbücher　都市の行政に関する文書。

六三 事実問題 Tatfrage と法律問題 Rechtsfrage　具体的な事件に法を適用する場合に、法律学は、まずそれがいかなる事実であつたかを確定し、その上でその確定された事実に法の規定を適用する、という二段の構成をとる。前者が事実問題であり、後者が法律問題である。

六四 ヘンリー・サムナー・メイン卿 Sir Henry Sumner Maine (1822—82) イギリスの法史学者。名著「古代法」"Ancient Law" (1861) をはじめ "Village Communities" (1871), "Early Law and Custom" (1883) 等の著書がある。いずれも法社会学的な貴重な研究である。

六五 サリカ法 lex Salica フランク建国の祖クロードヴェッヒ（クローヴィス）王の末年、五〇八年—五一一年頃に編輯されたサリカ系フランク人の部族法典である。フランク時代の他の部族法典——たとえば lex Ribuaia, codex Euricianus, lex Burgundionum——等に比してもつともゲルマン固有法の色彩を保有しており、かつもつとも有名なものである。

六六 善と衡平の術 **ars boni et aequi** D. I. 1, 1, Pr. のなかにある言葉である。

六七 オーストリアの北部スラヴ人の間の大家族 スラヴ民族の間に行われた家族共産体は、ザドルーガ Zadruga またはドゥルッツヴォ Durztvo、ドゥルチナ **Durzina** と呼ばれている。ザドルーガの家族団体員は、同一祖先からでた血縁に属するものであることを原則とし、これら多数の家族団体員は一棟の家もしくは一定の地域中に共同居住し、共同耕作し、共同の生活を営み、原則として分産しない。ザドルーガの族長をガスポダーリ **Gospodar** といい、家族団体員によつて選挙され、ときには遺言によつて就任することもある。家族団体員はすべて、このガスポダーリの指揮のもとに、共同的に農耕その他の労務につくのである。ザドルーガは、自給自足の経済生活を原則とする。けれども、中世以来経済が発達するにつれ自給自足が完全に行われにくくなり、内部における体制の矛盾と外界における経済の発達は、とうていザドルーガのような家族制度の存続を許さなくなつたのである。なおザドルーガについては E. de Laveleye, "De la propriété et de ses formes primitives" (1872)（邦訳「原始財産」改造文庫三一〇―三三一頁）および M. Wlainatz, „Die agrarrechtl. Verhältnisse des mittelalterlichen Serbiens" (1908) などを参照。

六八　ギールケと彼の著書　「ドイツ団体法論」„Das deutsche Genossenschaftsrecht" (4 Bde., 1868―1913) および「団体理論」„Die Genossenschaftstheorie" (1887) のことである。なお、ギールケについては註四一参照。

六九　オイコス経済 Oikenwirtschaft　オイコスとは、ギリシャ語の「家」の意味である。ギリシャにおける家は、家父長的大家族であつて、三・四の世代にわたる血縁者を包含するのみならず多数の奴隷をも使役し、家父長の厳格な統制のもとに生産・消費をいとなむ一大封鎖経済であつた。ゆえに、一般に、このような厳格な家父長権のもとに多数の隷僕を使役していとなむ自給自足の封鎖的家内経済をオイコスと称する。後に、ロードベルトゥス Rodbertus が古典古代の奴隷制にもとずく自給自足の封鎖的家内経済をオイコス経済 Oikenwirtschaft と呼んでから広くこの名称が用いられるようになつた。なお Oikenwirtschaft については、Max Weber, „Gesammelte Aufsätze zur Sozial- und Wirtschaftsgeschichte" (1924) S. 7―11 参照。

七〇　使用賃貸借 Miete　物の使用を目的とする有償契約で、家屋の貸借などがこれにあたる。独民五三五条以下に規定されている。

用益賃貸借 Pacht　物の使用および普通経済の規則にしたがい収入物と認むべき果実の収取を目的とする有償契約であつて、耕作地の貸借などがこれにあたる。なお Pacht は Miete と異つて権利についても成立し、独民五八一条以下に規定するところである。

使用貸借 Leihe　物の使用を目的とする無償契約で、独民五九八条以下に規定するところである。

七一 オーストリア学派 die österreichische Schule　経済学上におけるオーストリア学派は限界効用学派の主流をなすものであつて、カール・メンガー Karl Menger によつて基礎づけられ、フリードリッヒ・フォン・ヴィーザー Friedrich von Wieser およびオイゲン・フォン・ボェーム－バヴェルク Eugen von Böhm-Bawerk によつて大成された。この学派は、一方において古典学派の客観主義にたいして主観主義を、他方において歴史的素材を集めることに没頭して無理論に堕した歴史学派の帰納的方法にたいして演えき的方法を確立せんとしたものであり、「経済的」個々人の行動を支配する法則を、ひとびとの社会的関係のなかにおいてではなく、彼の「欲望」とその欲望充足対象である「財」との関連のなかに求めることをその課題とする。このように、この学派は、分析の出発点を「欲望」におき、財価値の大いさは「限界効用」によつて測定されるとするのである。

七二 ワルラス Marie Esprit Léon Walras (1834—1910)　ワルラスは、一八七〇年以来一八九二年にいたるまで、ローザンヌ・アカデミーおよびローザンヌ大学の教授として経済的均衡理論の研究に没頭し、いわゆるローザンヌ学派をうちたてた。ワルラスは、その純粋経済学の叙述に数学的公式を用い、通常、数理経済学者と呼ばれている。すなわち、かれは、純粋経済学をもつて交換価値あるいは価格の理論であるとし、それを交換・生産・資本化ならびに信用の三部にわかつて考察し、そのおのおのを交換の方程式、生産の方程式、資本化ならびに信用の方程式として取りあつかつているのである。

七三 原文は Liest man literarische Darstellung, durchforscht man ein Gesetzbuch, studiert man eine

Spruchsammlung, so könnte man zuweilen glauben, beim Erbrecht handle es sich um Lotteriegewinnste; die Rolle des Waisenknaben übernehmen die Paragraphen, durch deren gewundene Sätze eine geheimnisvolle Schicksalsgöttin nach unerforschlichem Ratschluss den Glücklichen mit verbundenen Augen ihre Gabe verteilt. となつている。ここで、孤児の役割 die Rolle des Waisenknaben といつているのは何を指しているのか不明であるが、おそらく、ドイツでは、富籤をひくのに孤児が——わが国では女優が使われたりしているように——使われるのではあるまいか。

七四 予防法学 Kautelarjurisprudenz　オーストリアの法律語である。この言葉は、将来の争いを予防するために法律行為に際して必要な予防策の観察に関係する法律上の仕事、さらに権利証券の作成に関係する法律上の仕事を意味する。英訳によるとこの部分はつぎのようになつている。

The greater part of the burden must be borne by the art of drafting legal documents, a branch of legal science which……

七五 独占取引権 Bannrecht　一定地域の一定種類の取引を強制し、そこから利益を得る封建領主特権。独占取引権の内容は、粉ひきの依頼、パン焼の依頼、醸造の依頼のほか、染物、ブドー圧搾、皮剝、鍛冶、屠畜場、火酒、居酒屋等種々のものがあつた。権利の持主は、王とならんで若干の領主と村の有力者であつたが、のちに都市が勃興するにおよんで、権利は都市に売却され、都市はこれを司法権によつて強化した。Allgemeines Landrecht für die preussischen Staaten (Tl. 1, Titel 23) に規定されていたので有名である。

七六 マキアヴェリ Niccolo Machiavelli (1469—1527)　フロレンスの貧しい貴族の家に生れ、実際政治上にも活躍したが、かれの名は、なかんずくメジチ公に献ずるために書かれた「君主論」(一五一三年、[出版は一五三二年〕をもつて有名である。かれは、この著書のなかで、君主の権力を獲得維持し国家の富強をもたらすべき方策を研究し、大いに兵力を養成すべきこと、場合によつては道徳・宗教をも無視して権謀術数を用いるのもやむをえないことであるとしたが、このような思想はマキアヴェリズムの名をもつて後世につたえられた。

七七 シカーネ Chicane　元来、フランス語の chicaner では、法律を口実に不当の争いをなすことと一般を意味する。しかし、ドイツでは、ドイツ民法二二六条が単に他人を害することのみを目的として権利を行使することは許されずと規定するので、特にこのような権利濫用をシカーネと名づけている。

七八 イェーリング Rudolf von Jhering (1818—92)　十九世紀ドイツにおけるもつとも偉大な法学者の一人。はじめローマ法を研究したが、「ローマ法をとおしてローマ法の上に」という彼の言葉の示すように、単なる歴史的研究にとどまらず、さらに目的論的・法技術的・文化的見地から法現象の発展をローマ法のなかに眺める新しい歴史法学派の立場をとるにいたり、主著「ローマ法の精神」„Geist des römischen Rechts" (3 Teile in Abtgn., 1852—65) を著した。そののち、さらにこの立場をふかめ、利益をもつて法律生活の基礎的創造力の根源となし、「権利のための闘争」„Der Kampf ums Recht" (1872)、「法における目的」„Der Zweck im Recht" (2 Bde., 1877—83) を著した。かれの学問的特色は、法律解釈に重点をおいた当時のパンデクテン法学から脱却して、上述のごとき立場からまつたく新しい学問的研究をなした点に存するのであつて、「利益法学」ともいわれている。

七九 分離法 Trennungsgesetze　フランスにおける国家と教会の分離は、一九〇五年一二月九日の「国家と教会との分離に関する法律」Loi sur la séparation des Eglises et de l'Etat によつて完成された。

八〇 ノートナーゲル Nothnagel　エールリッヒは、この本のなかで、しばしば彼の名を引用しているが、その経歴や業績については不明である。

八一 ローマにおいては、売買契約の成立によつては、客体または代金の所有権移転は生ずることなく、当事者双方が債権を取得し債務を負担するにとどまる。またディゲスタ（XIV 1, 11, 2）によつて知られるごとく、売主は、買主に客体の所有権を移転する義務を負うことなく、単にその占有を移転する義務を負うにとどまつた。

八二 身元証明 **reference**　イギリスにおいて、雇傭、賃貸借などにさいして、被傭人、借主の性向・支払能力などを証明するために作成される証明書。

八三 lien　担保権と訳したが、留置権・先取特権にあたる。法の規定または特約にもとずき、債権者が自己の占有中にある債務者の財産を債務の履行あるまで留置する権利である。

八四 帝室裁判所 Reichskammergericht　これは、一四一五年につくられた Königliches Kammergericht の後身であつて、一四九五年ウォルムスの Reichstag（帝国議会）の決議にもとずき、帝国の最高裁判所として創設されたものである。裁判官 **Kammerrichter** も判決人（国会の議員たりうる身分の者、いわゆる Reichsstände のなかから選ばれ、なるべくは法律家たるべきものとされた）も常置的であり、さらに裁判所所在地も一定して、最初はフランクフルト・アム・マイン、一五二七年以来シュパイエル、一六九三年以来一八〇六年消滅にいたるまでヴェッツラールであつた。管轄は、帝国追放 Reichsacht の刑を科する事件、国内治安破壊 Landfriedensbruch 事件、通常裁判所が拒絶した事件、刑事および Reichslehen に関するものを除き帝国直属者 Reichsunmittelbare に対する訴訟事件、帝国直属者相互間の争いについては仲裁裁判所に対する控訴事件等であつた。

八五 ゲーテ「詩と真実」第三部第一二章のなかで、ゲーテは、帝室裁判所についてつぎのように書いている。「ところが、やがて厄介な未決書類が山積するにいたり、やむをえず比較的重要な書類を選択して、順番をかえりみず先に審理することに決定した。けれども、ある事件が他の事件より重要であるとする判断は、重要な事件が充満している際には困難であり、それに選択ということが、すでに、えこひいきを混ずる余地をつくつた。ところが、ここになお一つの容易ならぬ事態が生じた。すなわち、事件報告者が、困難な紛糾した事件で、自分自身も苦しみ、また裁判所も悩み、ついには、だれひとりとして判決を下そうとする者がないようになつた。原告と被告とは和解したり、物わかれとなつたり、亡くなつたり、また初志を変更したりした。それゆえ、法廷は督促された事件だけをとり上げることに決めた。そして、このことが最大の弊害をまねく端緒となつた。なぜなら、自分の事件を依頼するにはどうしてもだれかに依頼しなければならず、それには、自分の事件を処理するひとに依頼するにこしたことはないからである。それがだれであるかを、法規通り秘密にしておくことは困難となつた。多数の属僚がこれを聞きしつているからには、どうあつても洩れずにはすまない。ところで、すみやかに審理して貰うようにたのむ以上、当然自分の肩をもつてくれるようたのむはずである。というのは、自分の事件をせきたてるということは、取りもなおさず、みずから正当と認めている証拠だからである。しかし、依頼者は、そう短刀直入には事をはからないであろう。おそらくまず第一下役の手をとおして事をすすめるであろう。これらの下役をまず手なずけておくことが必要である。こうして、あらゆる奸策と贈賄の端緒が開かれたのである。」（改造社版全集二二巻一三九―一四〇頁）

八六　コンメンダチオ Commendatio　中世において、身分関係をつくる際に行われた象徴的行為である。すなわち、家士となるものが両手を組みあわせて主君の掌中におき、もつて托身の意思を表示した上、主君に対する忠誠を誓約すれば、主君は、家士に武器や乗馬を授け保護を約束するという方式であつた。

八七　カモラ Cammorra (Camorra)　ナポリの秘密結社。十九世紀において始めはブルボン王朝を援助していたが、のちに犯罪人の徒党になつた。この結社は、選挙に際して繰りかえし政治家によつて利用されていたが、ファシズムが始めてこれを絶滅することに成功した。

八八　マフィア Maffia (Mafia)　シシリアの秘密結社。おそらく十七世紀にスペイン人によつて警察勤務に利用された Compagnie d'armi の変化した一形態であろうといわれている。犯罪人の徒党であるが、とくに十九世紀には大いに勢力をふるい、選挙に際し政治家によつて利用されることが多かつた。Cammorra と同じくファシズムによつて絶滅した。

八九　ネルデッケ Theodor Nöldeke (1836―1930)　東洋学者。一八六四年以来キール大学の神学教授、一八七二年から一八九六年までシュトラスブルク大学の東洋哲学の教授であつた。彼のアラビアに関する述作としては "Geschichte der Perser und Araber zur Zeit der Sasaniden. Aus der arabischen Chronik des

Tabari übersetzt" (1879), "Das Leben Muhammeds" (1863) 等がある。

九〇 血讐 Blutrache　ゲルマン古法上、血讐 Blutrache というのは、殺人が行われた場合、犯人に対してなされる被害者側の合法的復讐をいうのであるが、おそらくはアラビア人の間の血讐も類似の制度であると思われる。

九一 ベドゥイン族 Beduinen　アラビア語 badawi からでた言葉で、「沙漠の住者」の意味である。現在、主として牧畜によつて生活している北アフリカおよび南アジア沙漠のアラビア人のことをいう。

九二 *ἀφρή ωράθέμισιος ἀνέστιος ἔστιω ἐκεῖνος, ὃς πολέμοω ἔραται ἐπιμμὶω ὀκρυὸενίος*(Ilias, IX, 63—4)

「内紛を好む者は、Phratria なく、法なく、かまどなく、あり。」すなわち、これらより追われるの意味である。*ἀφρήτωρ* は ausser dem Geschlechtsverband の意味であり、*ἀθεμίστος* は ausser dem Rechtsverband の意味であるが、*θέμις*「法」は、ギリシャでは今日の法とは多少ことなつて、もつと社会慣習的な一般的な意味をもつている。最後に、*ἀνέστιος* は ausser der Herdgemeinschaft の意味で、家族生活の中心であつた「かまど」なきということを意味する。*ἑστία* は、*πόλις* 的生活への前提としての家族の中心として大きな意味をもつていたので、これから追放されることは、個人生活の不可能を意味することになるわけである。

九三 私闘 Fehde　ゲルマン古法上、一定の犯罪、たとえば殺人の場合には、犯人を平和喪失 Friedlosigkeit としないで、被害者と犯人との間の反撃関係をみとめたが、これを Fehde という。Fehde は、このような合法的復讐であつて、殺人の場合には、とくに血讐 Blutrache と呼ばれる。この制度は中世まで存続したが、都市法・教会法により漸次制限され、十五世紀頃にはその跡をたつた。

九四　Max Ernst Mayer, „Der allgemeine Teil des deutschen Strafrechts“ (1915)

九五　法の無知は害す ignorantia iuris nocet.　D. XXII 6, 9, Pr. のなかに見られる言葉である。

九六　Engels, „Der Ursprung der Familie, des Privateigentums und des Staats“ (1884) 西雅雄訳「家族、私有財産及び国家の起源」(岩波文庫版)

九七　Rodberthus, „Zur Geschichte der römischen Tributsteuern seit Augustinus“ (Jahrbücher für Nationalökonomie u. Statistik, 4, 5 Band)

九八　マルクスの全著作、とくに「資本論」。

九九　法源 Rechtsquelle　法源とは、普通には、法を認識するための材料を意味する。これを客観的にいえば、法の存在形態ということになる。したがつて何を法源と解するかは、何を法と解するかによつてことなつてくる。解釈法学においては、裁判規範としての法が問題にされるのであるから、法源とは裁判の基準となりうる法の形態を指すこととなり、制定法・慣習をはじめとし判例・条理・学説等が法源として論じられることとなる。エールリッヒは、これに対して、法社会学における法源を法的事実 Tatsachen des Rechts と呼び、慣行・支配・占有・意思表示の四をあげ、以下それを論じている。

一〇〇　商慣習 Usance　商取引における慣習である。商慣習は、一般私法上の慣習よりも容易に成立し、その内容が合理的であり、またその力は強力である。そのことは、日本商法第一条が「商事ニ関シ本法ニ規定ナキモノニ付テハ商慣習法ヲ適用シ商慣習法ナキトキハ民法ヲ適用ス」と定め、商慣習の中で法たる性質を有するにいたつたものを国家の制定法たる民法にさきだつて適用することとしている点にもあらわれている。

一〇一　民会 comitia　古代ローマにおいて一定の手続にもとずいて開かれた市民の集会である。これには、comitia curiata（貴族会。ローマの三つの区をさらにそれぞれ十に分けたものであるクリア curia を単位として招集され投票する民会）、comitia centuriata（兵員会。百人隊 cenruria を単位とする民会）、comitia tributa（区民会。区 tribus を単位とする民会）の三種がある。民会は、政務官によつて招集され、法律の制定・政務官の選挙等の重要事項に決定を行つた。

一〇二　政務官 magistratus　古代ローマにおいて、国民の名において統治をする固有にして根本的な権限と義務とを有する者をいう。政務官には consul（執政官）、praetor（法務官）、censor（戸口総監）、tribunus（護民官）等重要な官職がすべて含まれている。

一〇三　precedent 先決例　同様な事件を判決する場合にその論拠とされる判決例をいう。英国の普通法は先決例へとひろがつてゆくことによつて発達した。そして上院および控訴院の判決はそれぞれ自院および下級裁判所を拘束し、その他の裁判所の判決はその裁判所だけを拘束する。エールリッヒは、ここでは、かかる判決ばかりでなく、もつと広く国家機関の活動一般についてこの言葉を使つている。

一〇四　事実的なものの規範力 normative Kraft des Tatsächlichen　イェリネックは、国法学の根本問題として「いかにして非法が法になるか」を問題とし、これに対して、「事実的なものの規範力」の原則をもつて答えた。すなわち、イェリネックによれば、事実が反復によつて社会心理上規範として意識されるにいたり、その結果それが法になるのであり、また、革命などにおいては実力という事実的な力によつて法が生れるのである。ここではそのうち前者の場合を指していつている。Jellinek, „Allgemeine Staatslehre“ (1914, 3. Aufl.)

S. 377 ff. 参照。

なおイェリネックは、Tatsächlichen ではなく Faktischen という言葉を使つている。

一〇五 スタンレイ Stanley (1841—1904)　イギリスの探険家。数度にわたつてアフリカの奥地を探険した。

一〇六 栽培植民地 plantage　一種類の植物を広範囲に栽培している農園をいう。主として、コーヒー・ココア・ゴム・棉・煙草・砂糖きび等を栽培する熱帯植民地の農園を指すが、果樹等を栽培する熱帯以外の農園をいうこともある。

一〇七 コローヌス colonus　農奴または土着農夫と一般に訳され、ローマの大土地所有形態である。latifundium における小作人であつて、帝政時代の後期に一般的な制度となつた。latifundium ははじめ奴隷労働に基礎をおいていたが、帝政中期頃から奴隷の源泉が絶えたことその他の原因によつて土地に植民された小作人の労働を用いるようになつた。これがコローヌスである。コローヌスは自由人であつて人的には自由であつたが、しだいに隷属性が強化され、物的には一定の土地を耕作して地主に貢租および賦役を納める義務を負い、しかもその土地をはなれることができなかつた。そして、コローヌスは土地とともに売買され、その身分は世襲された。かかる農奴化したコローヌスによる農場経営方式が、ローマ末期にはその経済の基礎となつたのである。

一〇八 用人 Ministeriale　用人とは中世において非自由人である家内使用人の上層をなしていたものであつて、主人によつて家事・領地の管理・戦争等に使われていた。身分は世襲的であり、主人は譲渡・婚姻の承認等の権利を有した。しかし、その地位はしだいに向上し、のちには自由人たる騎士 Ritter の仲間に入るようになつた。なおかかる非自由人たる用人で騎士の仕事をする者は Ritterlicher Ministeriale と呼ばれている。

一〇九　荘園 Grundherrschaft　領主制農場 Gutsherrschaft（註五六参照）とならんでドイツの封建的土地所有の二つの歴史的形態である。すなわち、これは、大部分の土地を隷農に貸与して耕作させ、貢租と賦役を納めさせるとともに、一部の土地は直営地として残しこの隷農の賦役によつて自営する、という形態であつて、中世の南西ドイツに支配的であつた。

一一〇　権利能力論 "Die Rechtsfähigkeit"　邦訳として川島武宜・三藤正訳「権利能力論」（岩波・昭和一七年）がある。

一一一　ゲーテ「詩と真実」第三部第一二章から、ここでエールリッヒが考えているとおもわれる箇所を引用すれば、つぎのごとくである（改造社版全集二二巻一三四頁）。「国家にとつては、所有権が安全確実であるということだけが肝要であつて、所有が正当であるか否かについて、国家はそれほど顧慮するものではない。それゆえ審理のおくれた訴訟が漸次に大きくなつて莫大な数に達しても、そのため国家が損害をこうむるということはなかつた。暴力を行使した者に対しては、無論準備されていたので、こういう者はわけなく処分することができた。その外法律と所有権を争つていた人々は、生きている間はそれぞれ分相応に、あるいは享楽し、あるいは窮迫した。彼らはやがて死亡し、破滅し、互いに和解した。しかしこれは要するに、個々の家族の幸不幸にすぎないのであつて、国家は漸次平穏の状態に向つた。」

一一二　ランダ Anton von Randa (1834—1914)　オーストリアの法学者であり政治家であつた。主著は „Der Besitz nach österreichischem Recht" (1865; 4. Aufl., 1895) であるが、この文章はどこから引用した

のか不明である。

一三　interdictnm unde vi, interdictnm utrubi　interdictum（特示命令）とは、訴訟の円滑な進行または公の秩序の維持に必要または適当と認められる場合に、政務官ことに法務官が、当事者の申立により、特定の地位の発生を命じ、またはすでに発生した特定の地位の妨害を禁ずる命令であつて、一種の行政処分の性質を有するものである。ところで interdictum unde vi は、発令前一年内に不動産占有を侵奪された者をしてその侵奪者からその占有を回復させ、損害の賠償をも受けさせることを内容とし、interdictum utrubi は、発令前一年内に動産（主として奴隷）の占有を侵奪された者がある場合に同じくその占有を侵奪者からその者に回復させることを内容とする。

一四　trespass　イギリスにおいて、他人の権利を実力の行使によつて直接侵害する行為をいう。これは不法行為となるのであつて、これに対しては action of trespass という訴権があたえられている。土地または動産の占有侵害の場合には、この訴権によつて損害賠償を請求することができる。

一五　complainte　フランス民事訴訟法二三条によつて認められた、占有妨害排除を請求する占有訴権である。しかしそれには、占有の瑕疵のないこと、一年以上占有を続けていること、および自主占有（所有の意思のある占有）であることなどが要件となつている。したがつて一年未満の占有および他主占有（賃借人などの占有）はこれによつては保護されないことになる。

一六　本権の訴　petitorische Klage　占有を基礎とする占有訴権に対して、所有権その他の実質的権利に基く訴をいう。この二つの訴は互に全く独立して存在している（民法第二〇二条）。

一一七　réintégrande　フランスで complainte（註一一五参照）の欠陥を補うために判例によつて認められた占有訴権である。実力行為によつてひき起された占有侵奪の場合に、提起することを認められる。complainte とことなり、平穏かつ公然の占有であれば一年以下の占有でもよいし、他主占有でもさしつかえない。なお本文でつぎに引いてあるフランス語の引用文は判決理由からの引用である。

一一八　ゲヴェーレ Gewere　ドイツ固有法ないしゲルマン法上の基礎的観念である。そもそもゲヴェーレなる語はラテン語の vestitura, investitura に当り占有移転行為を意味したが、後にはこの行為によつてひきおこされた状態すなわち物の事実的支配それ自身を意味することになつた。しかしてその事実的支配は動産にあつては所持 Gewahrsam、不動産においては用益 Nutzung であつた。ゲルマン法においては物権はすべてこのゲヴェーレの形をとつて現われるものとされ、ゲヴェーレの形をとつて現われたものはすべて物権として取り扱われ、物権としての保護を受けた。かくゲヴェーレ（ゲルマン法上の占有）はあくまで物権（本権）の表現形式として、本権と対立するものでなく、むしろその裏に本権の存在を予定するものである点において、ローマ法の占有 possessio が本権から独立し、本権に対立するのと、本質をことにする。ゲヴェーレの種類としては、現実的（事実上の）ゲヴェーレと観念的（法律上の）ゲヴェーレの別があり、後者は、ゲルマン法の土地譲渡行為において象徴的に譲渡を受けた譲受人が未だ現実の占有移転をすまさずとも譲受地について、相続開始の場合に相続人が現実に占有を取得せずとも相続財産について、また不法に占有を侵奪された者が侵奪後も目的物について、おのおの有するものであつた。つぎにゲヴェーレの効力としては、防禦的効力・攻撃的効力・移転的効力の三者が存した。

（1）　防禦的効力　　ゲヴェーレを有する者は適法に物権を有する者と推定され、この推定を破るには裁判上の攻撃すなわち訴訟によることを要する（裁判外の攻撃に対してはゲヴェーレを有する者は自力をもつて妨害を排除しまたは回収することをえた）。しかしてこの訴訟においてゲヴェーレを有する者は証拠法上有利の地位を占め、挙証優先権を有した。なおこの訴訟における争点は要するにゲヴェーレを有すべき権原（本権）が当事者のいずれに存するかということであつて、原告の攻撃は畢竟本権に対する攻撃、被告の防禦は本権の防禦であつた。ゲヴェーレに関する訴訟は、決して本権関係から独立の占有訴訟ではなく――ゲヴェーレの訴とは別に本権の訴が存したわけではない――、ゲヴェーレの訴を通じて本権関係が調整されるものであつたのである。

（2）　攻撃的効力　　強いゲヴェーレは弱いゲヴェーレを破る効力がある。たとえば所有者のゲヴェーレは借地期間経過後における借地人のゲヴェーレを破り、したがつて所有者は訴または自力をもつて土地を回収しうる。

（3）　移転的効力　　物権はすべてゲヴェーレの形式で表現されるものであつたから、物権の移転はゲヴェーレ移転の形式においてのみ可能であつた。したがつてゲヴェーレを有する者のみが適法に目的物上の権利を他人に移転することをえた。

一一九　レヒテ・ゲヴェーレ　rechte Gewere　　不動産の譲渡が裁判上のアウフラッスンク　gerichtliche Auflassung　なる一定の方式によつて行われる場合、譲受人がこの方法によつて取得するゲヴェーレ（註一一八参照）は譲渡後一年と一日の期間内に何人からも異議の申立を受けないかぎり、その後何人もその正当性を争うことのできない確定不動のものとなる。これを rechte Gewere という。

二二〇　まく者が刈る Wer säet. der mähet,　中世ドイツの法格言。種子をまいた者、すなわち土地を事実上支配している者が、その作物を刈りとる権利がある、という意味であつて、中世における事実的支配の秩序をあらわしている。

二二一　mesne profit　trespass（註一一四参照）を侵した者が、土地を不法に占有している間にえた果実その他の収益であつて、これに対しては action of trespass（註一一四参照）の一種である action of mesne profit によつて、土地の占有を侵奪された者からその返還を請求することができる。

二二二　rei vindicatio 所有物返還請求権　ローマ法において、所有権者が自分の所有物についてそれを占有している者からの返還を請求する権利である。

二二三　プブリキアナ訴権 actio Publiciana　ローマにおいて、法務官法上の所有者および善意の占有者が、客体の占有を喪失した場合に、その物の現在の占有者に対して提起することを認められたところの、その物の返還を求める訴権である。Publicius という法務官によつてはじめて承認されたところからこの名があるが、その年代は不詳である。

二二四　権限の調査 investigation of title　イギリス法において title とは財産所有権をいう。売買にあたつて売主がその権利を有するか否かを調査するのが investigation of title である。

二二五　ヴェルスパッヘル Wellspacher　本文に引用してあるのと同一名の著書「外部的事実への信頼」„Vert- rauen auf äussere Tatbestände“ がある。

二六　「手は手を守れ」Hand muss Hand wahren　ドイツ中世の法格言。所有権者が、物を他人に引き渡すことによつて、ゲヴェーレを手放し、その信頼をうけた者がのちに信頼を破つて第三者にそれを譲渡したりした場合には、信頼をあたえた所有権者が損害を引きうけなければならない。これが „Hand muss Hand wahren“ の原則であり、Hand wahre Hand ともいわれ „Wo Einer seinen glauben gelassen, da muss er ihn wieder suchen“（信頼はそれをあたえたところで求めなければならぬ）というのと同じ意味である。

二七　各種の農法について

（1）　原始穀草式農法　wilde Feldgrasswirtschaft　もつとも粗放な農法である。占有された土地は放牧地と耕地に分たれるが、放牧地がその大部分を占める。必要な収穫物を得るために要するわずかな土地だけが耕作にあてられ、穀物が作付される。地力がなくなると今までの耕地は放置されて放牧地となり、他の適当な土地が耕作されるのである。タキトゥス（註四八参照）時代のゲルマン人がこの段階にあつた。

（2）　二耕地式農法および三耕地式農法　Zwei- und Dreifelderwirtschaft　（1）から発展したより集約的な農法である。これにおいては、すべての土地が放牧地と耕地の二つの部分に確然と分れた、（1）と違つて原則として両者の間には流動がない。そのうち耕地は地力を補給するために交代して休閑させる。かかる農法のうちでもつとも一般的な三耕地式農法では、全耕地がほぼ同じ大きさの三部分に分たれ、毎年交代して、一は休閑し、二は冬作穀物、三は夏作穀物がそれぞれ作付される。ヨーロッパ中世が大体この段階にある。二耕地式農法ではこれが休閑地と穀物の作付地の二部分に分れているわけである。

（3）　輪作式農法　Fruchtwechselwirtschaft　（2）のさらに発展したもので、ここでは休閑地がなくなり、穀物と野菜・飼料などの他の作物との組織的な輪作が行われる。適当な輪作が地力を回復するのである。放牧地も独自の存在を失い、この輪作の中にくみいれられる。ヨーロッパの中世末期から現代にかけてのやり方である。

（4） 自由式農法 freie Wirtschaft　もっとも集約度の高い農法であつて、肥料の適当な投下により、輪作によつて地力を維持する必要がなくなり、作付の順序から解放されて、自由に作物をえらぶことができるようになつたものである。十九世紀後半からこの段階に入り、現在にいたつている。

一二八　二耕地式農法および三耕地式農法における土地の所有関係　所有関係からみると、土地は、放牧地と耕地（註一二七（2）参照）のほかに屋敷地が加わつて、三つの部分に大別される。

（1） 個人の家の敷地である屋敷地 Hofstätte と、その周囲にあるわずかの菜園 Garten とは、全く個人的支配権にゆだねられる。

（2） 耕地 Ackerflur（または耕地マルク Feldmark）は、共同体の総有である。それは、いくつかのゲヴァン Gewann（割替地と訳している）に分たれ、それがさらに多くの地条 Streife に分たれる。共同体の各成員はくじびきで各ゲヴァンから一つずつの地条をわりあてられそれを耕作することになる。そして一定の時期ごとにその割替が行われる。この地条は縦に細長く、隣人の地条とたがいに共同して耕作しなければ耕作できない状態であつた。そこでこのような状態にある混在地条 Gemengelage の支配権は、共同体の定めにしたがつてみなと同じ作物の種子をまき刈りとりをしなければならないという耕作強制 Flurzwang によつて、強い制限をうけていた。

（3）アルメンデ Allmende（または共有マルク gemeine Mark）　森林・牧場・原野・河川など共同体成員の個人的利用を許さない共同体の共同利用地であつて、共同体の総有に属する。共同体の各成員はその上に平等の用益権を有していた。

二九　イタリアの土地 fundus des solum italicum　普通は fundus italicus という。古典時代のローマ法においてはイタリア内の土地と属州の土地とは法律上取扱いをことにする場合があつた。すなわちイタリアの土地は、一定の要式行為によらなければ移転できないものとして重要視されていた手中物 res mancipi に含まれていたが、属州の土地は原則としてその中に含まれず、非手中物 res nec mancipi であつたのである。

三〇　上級所有権 Obereigentum と利用所有権 Nutzeigetum　中世ドイツに一般的であつた分割所有権の一方を上級所有権、他方を利用所有権という。すなわち同一の土地に対して、その耕作者の耕作する権利である利用所有権と、耕作者から一定の貢租を徴収する権利である上級所有権の、二つの所有権が存在していたのである。

三一　騎士領 Rittergut　中世ドイツにおいて、戦争の場合に王にしたがつて出陣する義務とひきかえに、封建諸侯や騎士の生れの貴族に対して王から封与された土地の領有である。それはその領内の貢租・賦役の徴収権、裁判権などの特権を含んでいた。

三二　コントラクトゥス contractus とパクトゥム pactum　コントラクトゥス（契約）という言葉が、当事者の意思の合致を要素として成立し、債権を発生せしめる行為を意味するようになつたのは、漸くガイウスの頃であつたと想像される。元来、この言葉の動詞形 contrahere は、不法行為をなすこと、損害を発生せしめることなどを意味し、債務関係と結合して用いられるときには責任を発生せしめることなどを意味した。すなわち、コントラクトゥスは責任を伴う債務関係の原因であつた。これに反して単なるパクトゥム（合意）からは責任は発生しなかつた。「単なる合意によつてはローマ市民間に訴権は発生せず」ex nudo pacto inter cives Romanos actio non nascitur と言われた。船田・前掲書第三巻四八頁以下、三ヶ月「契約法における形式主義とその崩壊の史的研究」（法協六四巻二号五号六号十一・十二号）。

一三三　自然債務 naturalis obligatio　ローマ法においても債権と訴訟上の請求権とはほとんど同一の概念である。とくに古典時代に強く現われている。しかるにユスティニアーヌスの法においては、かかる訴訟の制裁なく債務の履行を訴訟によつて請求することはできないけれどもこの任意履行は可能であり、かかる弁済は非債弁済ではなく、その返還を請求することはできないという関係が、自然債務関係として取り扱われている。ガイウスは、奴隷とその主人との間の債務関係、奴隷とその主人以外の者に対して負担する債務、家子とその家長との間および同一家長の権力に服する家子相互の間の債務関係等をもつて、自然債務関係としている。またガイウスはかかる関係にも保証関係が成立しうると説いている（船田・前掲書第三巻四一頁以下）。現行の法体系において自然債務を認めるかどうかには異論がある。通説は肯定しているが、最近、鋭い否定説も生れてきている（我妻「債権総論」六六頁以下）。

一三四　ヘロドトゥス Herodotus（B. C. 484？—425？）　まとまつた著作が今日に伝わる最古の歴史家。歴史の父と言われる。

一三五　プリニウス Plinius　大プリニウスと小プリニウスの叔父・甥が共に著名であるが、ここでは小プリニウス Gaius Plinius Caecilius Secundus (62?—113?) の方であろう。一一一年頃ビチニア知事。トラヤヌス帝にあてた彼の書簡は文体流麗且つ内容多岐にわたり、キリスト教徒その他に関し重要なものと言われる。

一三六 ブダノフ・ヴラディミルスキー Budanow-Wladimirski　不明。

一三七 騎士封与 ritterliche Leihe　中世において、領主が騎士に土地を貸与するかわりに、騎士は領主に対して、平時には騎士の務めを、また戦時には出陣の義務をおうた。このようにして騎士に土地をあたえることを ritterliche Leihe といい、中世において広く行われた土地貸与の一であつた。中世の土地貸与にはこのほかに、農民に対する貸与 bäuerliche Leihe と、市民に対する貸与 bürgerliche Leihe とがあつた。その内容はきわめて多種多様である。

一三八 授手託身契約 Ergebungsvertrag　いわゆるコンメンダチオ commendatio をさすものと考え、授手託身契約と訳した。

一三九 Blutfall　不明である。一応死刑と訳した。

一四〇 信約 Treugelöbnis　フランク時代に行われた要式契約である。字義的には fides facta すなわち信を約するのである。この方式は、当事者が手と口、あるいは指と舌とにより、特定の文言をいいながら、右手をだすとか、両手をあげて掌を合わせるとか、あるいはまた右手をあげて一つのしぐさをするとか、の方法によつて行われる。ギールケはこれを責任契約だとしているが、今日の通説では、そうではなくて、単純に信を約するものとされている。すなわち、信約の不履行は、刑事上の責任を生ずるものであつて、直接に民事上の責任は生じなかつた。

一四一　拘束行為 nexum　一説によれば、銅塊および衡器をもつてする特定の方式を履行する行為、すなわちいわゆる銅衡行為を意味する。したがつて、握取行為・銅衡式遺言などもこの拘束行為のなかに入る。他の一説はこれを狭義に解して、握取行為はこのなかに入らず、拘束を受けるための銅衡行為のみを意味するとする。共和政末期には前の説が広く認められていたと思われるが、本来は後の見解が正しいものであつたであろう。拘束行為は、債務発生原因とは別に、責任を生ぜしめる行為として用いられたと想像される。この行為によつて拘束された者は判決債務不履行のために拘束された者と同様に、奴隷類似の状態にあつたと信ぜられている。かかる苛酷なる効力のゆえに、通常被拘束者であるところの平民はしばしば拘束者たる貴族に反抗したので、紀元前第四世紀後半のボエテリア＝バビリア法は拘束行為を禁止した。船田・前掲書第三巻一一頁以下参照。

一四二　アルラ Arrla　古代ゲルマン語で手付金という意味である。

一四三　ラテン同盟 foedus Latinum　紀元前数世紀頃中部イタリアの諸国が作つていた同盟であつて、ローマはその一員であつた。

一四四　フェストゥス Sextus Pompeius Festus　二世紀頃のローマの文法学者。De verborum significatu は彼の著書であり、不完全にしか残つていないが非常に貴重なものと言われる。

一四五　拿捕式法律訴訟 [legis actio per manus iniectionem　ローマの最古の法律訴訟とされているものであり、判決によつて債務者と確認されたものに対する執行手続であつて、債務者は殺害されその死体は分割される。詳細は船田・前掲書第四巻四六三頁以下をみられたい。

一四六　ウダワ Udawa　不明。

一四七　ノヴァコヴィッチ Stojan Novakovic (1842―1915)　セルビアの文筆家にして政治家、文部大臣・内務大臣等にもなる。„Die Auferstehung des serbischen Staates" (1904) 等数巻の著書がある。

一四八　ラグーザ Ragusa　ユーゴスラヴィアの一都市。

一四九　フィッケル Julius von Ficker (1826―1902)　法学者であつたがのちに主として歴史を研究しその方面の著書も多い。

一五〇　ウィスリカ条例 Statut von Wislica　不明。

一五一　ドゥーシャン Stephan Uroch Duschan Ⅸ. (1308―55)　セルビアの王。一三四九年および一三五四年に全二〇一条の法典を発布した。

一五二　ロベール・カイユメル Robert Caillemer　フランスのグルノーブル大学教授。エールリッヒ「権利能力論」邦訳一三八頁以下参照。

一五三　財産買得人 familiae emptor　相続の一方法として、家長が財産を仮装の買得者すなわち familae emptor に仮装の代金をもつて譲り渡し、その財産は依然として自己が占有するが、その死後にいたつて、買得者は、故人から託された人すなわち相続人に対して、その財産を供与するのである。

一五四　use と trust　用益と信託　英法において、土地所有者甲が土地を普通法にしたがつて乙に譲渡し、乙が甲または甲の指定する第三者丙のために、その土地を保有する関係が use である。衡平法は古くからこれを有効としていたが、土地が秘密に移転される結果を生ずるので一五三六年の Statute of Uses は用益受益者すなわち甲または丙自身を普通法上の権利者とみなすことにして uses を消滅させようとしたが、さらに二段用益 use upon a use すなわち、AまたはCがさらにDのために土地を保有する方法が案出された。Ssatute of Uses はこの場合までは及ばなかつた。のちに二段用益は衡平法によつて認められ、のちの trust の前身となつたのである。trust は、受託者 trustee が他人との信頼関係に基いて、その他人より委託された財産を受益者 beneficiary の利益のために、自己名義において保管する関係をいう。衡平法で認められたものである。

一五五　adfatomie　フランク時代の法源にみられる。サリカ法（註六五参照）には adfathamire なる制度がある。それは Aufnahme in den fathum〈fathum に入れること〉ということであり、fathum とは、一説によれば最近親の総称であり、他の一説によれば胸である。リブアリア法には adoptio in hereditatem とあり、ほぼ同じものをさしていると思われる。さらにその内容はフランク諸部族に行われた一種の死因譲与行為である。譲与者に子または親族等の相続人なきことを要件とし、サリカ法では方式は、譲与者が定期裁判集会において受遺者を指定して受託者 Salmann に目的物を譲渡すれば、受託者は譲与者の死後一年以内に国王の面前または定期裁判集会において目的物を受遺者に移転するというにあつた。リブアリア法では方式も簡易化され、かつ国王の面前ならずとも特定地方官の面前にてなせば足りることになつた。この行為は養子収養・相続人収養（指定）に由来するものと認められる。

川島武宜

1932年　東京帝国大学卒業

現　在　東京大学教授

法社会学の基礎理論（エールリツヒ）

第一分冊

昭和27年11月15日初版第1刷発行

昭和30年10月30日再版第1刷発行（訂正版）

訳　者　川島武宜（かわしまたけよし）

東京都千代田区神田神保町2ノ17

発行者　江草四郎

東京都江東区深川常盤町2ノ8

印刷者　栗田真太郎

東京都千代田区神田神保町2ノ17

発行所　株式会社　有斐閣

電話九段（33）0323,0344

振替口座東京370番

印刷・東光整版印刷株式会社　製本・稲村製本所

エールリッヒ
法社会学の基礎理論　第一分冊（オンデマンド版）
法社会学叢書

2013年2月15日　発行

訳　者　川島　武宣
発行者　江草　貞治
発行所　株式会社 有斐閣
〒101-0051　東京都千代田区神田神保町2-17
TEL　03(3264)1314(編集)　03(3265)6811(営業)
URL　http://www.yuhikaku.co.jp/

印刷・製本　株式会社 デジタルパブリッシングサービス
URL　http://www.d-pub.co.jp/

AG565

ISBN4-641-91091-X